生生世世未了緣

◉劉墉著

劉墉 ◉ 生生世世未了緣

我們幼稚園最愛的老師在哪裡？
他還在不在人世？
我們小學最好的朋友在哪裡？
我們還記不記得彼此的名字？
我們初戀的情人在哪裡？
爲什麼早已失去了感覺？
我們的家人在哪裡？
我今晚能不能與他相聚？

何必問今生與來生，
僅僅在今生就有多少前世與來生？
就有多少定了的約，
等我們去履行？
多少斷了的緣，
等我們去重續？
就有多少空白的心版，
等我們用明天，
去寫一個緣的故事……

【自序】

雖說人能忘情，
雖然許多人在追求「了卻塵緣」的境界，
但這世間有幾人，
能平平安安、一無牽掛地離開？

生生世世未了緣

自序

劉墉

最近在美國，有個男人被抓了，因爲他同時擁有四個老婆，而四個老婆都以爲自己是「他」唯一的太太。

他總是提起行囊，在妻兒的祝福下出門，說是要到遠方做生意。然後開幾個小時的車，到另一個老婆家，接受熱情的擁抱。

每次「倦遊歸來」，他總是慚愧地攤攤手，說這次的遠行，又一無所獲。

每次，他的妻子們，都擁吻著他說：「沒關係，我有工作，家裡也不缺錢，只要人回來就好！」

當那四個女人發覺眞相時，都自認是丈夫最愛的女人。當記者訪問她們時，每個人都說：

「我不恨他，他很愛我，很愛孩子，很愛這個家。他在外面太寂寞了！只要他回到我身邊就好！」

有個朋友看到這則新聞，打電話給我：

「糟了！只怕我也有另外一個家。」

「這是什麼意思？有就是有，爲什麼說『只怕』？」

「因爲我總是作同樣的一個夢。夢見一棟大房子，門口有對石柱，柱子下開著一叢叢的小黃花。夢見我一次又一次走進大門，接受一個女人和兩個孩子的擁抱。他們好激動，都流著淚，怨我爲什麼離開那麼久才回來。那房子好大，好漂亮，但是天花板漏水，門楣都垮了。」他緊張地說：「每次我都覺得好慚愧，怪自己爲什麼棄他們於不顧。然後對他們說：『這次我不會再走了，我會好好把家收拾一下！』可是才說完，夢就醒了！」

「不過是個夢罷了！」我安慰他。

「可是太眞了！又讓我太矛盾了！每次夢醒我都想，如果我眞在夢裡的那個家留下，不是又虧欠我現在的這個家了嗎？」頓了一下，他喃喃地說：「最起碼，我也應該把夢裡的家修好了，別讓那邊的老婆孩子淋雨，才能醒過來啊！可是，可是爲什麼每次還沒動手修，夢就醒了呢？」

◉

想起少年時聽過的鬼故事，鄰村一個男人，家裡蓋房子，上樑那天，因爲缺樣工具跑出去借。大概心急，居然騎著脚踏車硬闖平交道，被急馳而來的火車正正地撞上。

從那天晚上，他家裡就總是傳出釘釘子、鋸木頭的聲音。房子後來蓋好了，奇怪的聲音還是不止。有人繪聲繪影地說，見他進進出出地扛木料。也有人講，這樣厲死的人，死的時候心裡只惦著家裡的房子，那魂就捨不得投胎。寧願回到原來的家裡，完成未竟的工作。

「他會一直做、一直做。我們陽間代他做好的，他看不到，可是他已經成了個沒有形體的孤魂野鬼，怎麼做，也做不出成績。這就是爲什麼鬧鬼的地方，會一直出現同樣的鬼影和聲音的道理。」說鬼故事的人瞪大眼睛：「直到有一天，他不得不去投胎，去另一個人家，過另一生。」

◉

問題是，另一生又有另一生的最愛、另一世的新歡，如果來生又有未了的心願，而不得不死。當他的靈魂離開軀體，會不會想起自己再前面一生，甚至生生世世的「未了緣」呢？

雖說人能忘情，雖然許多人在追求「了卻塵緣」的境界，但這世間，有幾人，能平平安安，一無牽掛地離開？

像是遠行的人，他們回頭、回頭，又回頭。如果車能等、飛機也能等，你再給他十天八天，他仍然有做不完的事，他仍然捨不下那個家。

只是，我們生生世世都有家，都捨不下。如果世間有輪迴，我們又都能輪迴到人間，不就像那有四個老婆、四個家的美國男人。總是走出今生的這個家，進入來生的那個家嗎？

如果有一天，我們離開軀體，神遊太虛，過去的生生世世，都浮現眼前。有我們死時，仍嗷嗷待哺的孩子、仍在建造的房子、正熱戀的情人，以及許許多多只有我們自己才能拯救的愛妻、愛夫與愛子。

如果上帝說：「選一個吧！讓時光倒流，讓你回到那一世，去續一段未了的塵緣！」

我們該選哪一世？

【前言】

我衷心盼望

讀者能在安靜獨處的時候，

看這本書。

不必討論、不必爭議，

只是用心去感覺——那是不是眞的？

一連串的掙扎與感動

前言

每天晚上入睡前，我都會看書。

我的牀頭擺著厚厚兩落書，讓我能「輪著」看。我常這本翻幾頁、那本翻幾頁，好像看報紙上的連載一般。

我覺得這是個不錯的讀書方法。可以一方面比較每本書的差異，一方面吸收平均的知識。而且由於每拿起一本書，都得「重溫」一下前面，才接得上，使我能印象更深、記得更牢。

我也常拿起自己的書，翻幾頁，好像翻起塵封的歲月。我覺得別人寫的都比我好，但不知爲什麼，每次看自己的，仍然有著最大的感動。

「它使我掉下眼淚。」

許多讀者都對我說過同樣的話，甚至有一位報社的男記者，很不好意思地問我：

「爲什麼？」

「我不知道。」我說：「只記得前天早上，翻開報紙，看到聯合副刊上登出我的一篇文章，我一邊看，眼淚一邊落在報上。」

「對！我看你那一篇，眼淚也掉了下來。」他說。

大概因爲我寫的心聲，觸動了讀者的心聲吧！我們都是人，都是平凡的人，有著一切人的喜怒愛憎，也能用自己的感受，了解別人的感受。

我只是把那感受說出來而已。

●

有時候說出「眞實的感受」是件殘酷的事，我那學心理的兒子就曾講過：「老爸！你不要以爲在爲青少年諮商的時候，說出他心裡的事，他一定會感激你。錯了！有些人反而會恨你！恨你爲什麼要『點破』。」

在我的文章裡，可能點破一些東西。我不覺得那是錯，只覺得自己在說眞話。如果一個作家，在今天仍然頂著大帽子、戴個大面具，還有什麼意思？

我好慶幸，自己處在中國歷史上「最能說話」的時代。十年前，我還有好多東西不敢寫，但是今天，我都寫了出來。

雖然這本書不像《冷眼看人生》或《我不是教你詐》，而是一本「寫情」之作。但是，我仍然有些「一吐為快」的東西。

我寫了為女性說話的〈輕輕摘下那頂綠帽子〉，寫了為父親說話的〈沒了手的爸爸〉，寫了為子女說話的〈別擋住春天〉，寫了為養父母說話的〈養的恩情大過天〉，寫了為老人說話的〈當老人變成孩子〉，還寫了為風塵女子說話的〈小童工的笑與淚〉與〈當我們年輕的時候〉。其中有些文章，在發給報社時，主編都表示了不同的意見。但是在我堅持到底，文章刊出之後，居然不僅國內有不錯的反應，連美國和星馬的報紙，都作了轉載。

我文章的第一個讀者——我太太也常有這樣的表現。我當面拿文章給她看，她往往對內容有意見。但是相反地，如果我把文章留在桌上，又故意躲開。看她在熒熒一燈下，慢慢地讀。讀完，緩緩關上燈，沉沉地走出書房。

隔一陣，再問她覺得如何，她則常常點頭。

人就是這樣，許多事當面挑明，是有欠禮貌的。對方爲了「道學」，也得表示一下立場。但是讓他私下想想，就會默默同意了。

因此，我衷心盼望，讀者能在安靜獨處的時候，看這本書，不必討論、不必爭議，只是用心去感覺——那是不是眞的？

●

《生生世世末了緣》，從〈自序〉和書名看，似乎有不少輪迴的囑望。但是當您看完整本書，尤其最後一篇之後，或許會發覺我所說的「生生世世」，竟可能在……

請不要立刻，就去翻最後那篇。

請一篇一篇看！像是我們一天天過日子。

因爲生命不能一下子跳過去，生命是日日夜夜的掙扎與感動。

這本書就是以一連串的掙扎與感動，累積成的！

目錄

【情深未了緣】

死人可以等，活人等不及啊！
有時候手術檯前面，堆了一堆屍體。
救了不少，也死了不少，
你能傷心嗎？
你有時間去哭去笑嗎？

多情卻似總無情

妻的眼睛不好，所以自從到美國，就常去看一位眼科名醫。

每次從診所出來，妻都要怨：「看了他十幾年，還好像不認識似的，從來沒笑過，拉著一張撲克臉。」

有一天去餐館，遠遠看見那位眼科醫生，他居然在笑，還主動跟妻打招呼。妻開玩笑地說：「眞稀奇，我還以爲你從來不會笑呢！」

眼科醫生笑得更大聲了，突然又湊到妻耳邊，小聲地說：「妳想想，看病的時候我能笑嗎？一笑、一顫，手一抖，雷射槍沒瞄準，麻煩就大了。」說完，又大笑了起來。

飯吃一半，那醫生跑過來，舉著杯敬妻。臉紅紅的，看來有幾分醉了。喝下酒，話匣子打了開來：

「妳知道在美國，醫生自殺率最高的是哪一科嗎？」他拍拍自己胸脯：「是眼科醫生！」停了幾秒鐘，抬起紅紅的眼睛：「想想！揭開紗布，就是宣判。看見了？

看不見？你爲病人宣判，也爲自己宣判。問題是，前一個手術才失敗，下一個病人已經等著動刀，你能傷感嗎？所以我從來不爲成功的手術得意，也不爲失敗的手術傷心，我是不哭也不笑的。只有不哭不笑的眼科醫生能做得長，也只有不哭不笑的眼睛看得清，使病人的眼睛能哭能笑。」

他這幾句話總留在我的腦海，有一天在演講裡提到，才下台，就有一位老先生過來找我。老先生已近八十了，抗戰時是軍醫，他拉著我的手，不斷點著頭說：

「老弟啊！只有你親身經歷，才會相信。那時候，什麼物資都缺，助理也沒有，一大排傷兵等著動手術，抬上來，開刀，才開著，就死了。沒人把屍首抬走，就往前一推，推，推下床去，換下一個傷兵上來。」

我把眼睛瞪大了。

「是啊！」老先生很平靜：「死人可以等，活人等不及啊！有時候手術檯前面，堆了一堆屍體。救了不少，也死了不少。你能傷心嗎？你有時間去哭去笑嗎？所以，只有不哭不笑的能撐得下去，只有不哭不笑的醫生，能救更多人。」

◉到深山裡的殘障育幼院去。才隔兩年，老師的面孔全不一樣了。

「一批來、一批去，本來就是如此。」院長說：「年紀輕輕的大學畢業生，滿懷理想和愛心，到這裡來。抓屎、倒尿，漸漸把熱情磨掉了，於是離開。然後，又有新的一批跟上來，不是很好嗎？」

說著，遇見個熟面孔，記得上次我來，就是他開車送我。

「王先生是我們的老義工了。」院長說。

我一怔，沒想到那位滿臉皺紋、皮膚黝黑的中年人，竟然是不拿錢的義工。

「他在附近林班做事，一有空就來。水管破了，今天他忙死了。」

「他是教友嗎？」

「不！他什麼都不信。他只是來，只是做，做完就走，隔天又來。你不能謝他，他會不好意思。只有這種人，能做得長。」

●

到同事家裡做客，正逢他的女兒送男朋友出國，兩個人哭哭啼啼，一副要死的樣子。

「年輕人，太愛了，一刻也分不開。」同事說：「只怕很快就要吹了。」

「這算哪門子道理？」我笑道。

「等著瞧！教書教幾十年，我看多了，愈分不開，變得愈快。」

果然，半年之後，聽說兩個人吹了。都不再傷心，都各自找到新的戀人。

想起以前研究所的一位室友，不也是這樣嗎？

剛到美國的時候，常看他打越洋電話。在學校餐廳端盤子，一個鐘頭三塊錢，還不夠講三分鐘的電話。

常聽兩個人在電話裡吵架，吵完了哭，哭完了又笑。

女孩子來看過他一次，也是有哭有笑。激情的時候，把牀欄杆踢斷了；吵架的時候，又把門踹了個大洞。

只是，當女孩回台灣。他神不守舍兩三天，突然說：「才離開，就盼著再碰面；才碰面，心裡又怕分離。愛一個人，眞累！」

然後，他去了佛羅里達，不久之後結了婚，娶了一個新去的留學生。

◉

少年時，我很喜歡登山。

記得初次參加登山隊，一位老山友說：

「我發現在登一座高山之前，那些顯得特別興奮的年輕人，多半到後來會爬不上去。因爲他們才開始，心臟就已經跳得很快，又不知道保存體力。倒是那些看起來沒什麼表情，一路上很少講話，到山頂也沒特別興奮的人，能登上一座又一座的山峰。」

也記得初登山時，常對著群山呼喊，等著聽回音。有時候站在幾座山間，能聽到好幾聲回音。

有一次正在喊，一位老山友卻說：

「別喊了！浪費力氣。眞正登到最高峰，是沒有回音的。」

不知爲什麼，最近這兩段老山友的話，常襲上我的腦海。我漸漸了解什麼是「多情卻似總無情」、「情到濃時情轉薄」，也漸漸感悟到什麼是「太上忘情」、「情到深處無怨尤。」

只有不喜不悲的人，能當得起大喜大悲。也只有無所謂得失，不等待回音的人，能攀上人生的巓峰。

【情深未了緣】

我們只有一個身體，
卻可能有許多「生死與之的愛」。
使我們常不得不放下一群羊
去找另一隻迷失的羊……

無限的愛

△雖然把我的心分成七份，但每份都是百分之百「我愛你」！

女兒畫了一顆大大的紅心，又在上面用各種彩色筆，寫了七行「我愛你」。

「為什麼要寫七行？」我問她。

「因為我們家裡有七個人。」小丫頭一行行指著說：「我等下要把它剪成一條條。一條給你、一條給媽媽、一條給哥哥、一條給公公、一條給奶奶、一條給婆婆。」

「還剩一條呢？」

「給我自己。」

「哦！」我笑了起來：「原來妳的愛只有七分之一，這麼一點點給了爸爸！」

小丫頭猛抬頭，瞪著眼睛喊：「不！每個人都是全部！」

「妳只有一顆心，怎麼可能呢？」我又笑著逼她。

「當然可能！」小丫頭居然哭了起來，大聲喊著：「通通都有通通。」

◉

聽過一個有趣的故事——

一位婦人帶著兩個很小的孩子坐公共汽車。下車之後，車開走了，才發現有個孩子沒跟下來。

婦人急了，將手上的孩子一把交給路人：「幫我看著這個孩子。」話沒完，就飛奔去追公共汽車。

追了好幾站，居然眞被她追上了。把孩子拉下車往回頭跑，跑到「原點」，發現交給人的孩子又不見了。原來路人不敢負責，把孩子送去了警察局。

婦人哭到警察局，看到孩子，不哭了，回頭就給身邊孩子一巴掌：「都怪你沒下車，差點弟弟也掉了。」

警察看不過去，說那婦人：

「明明是妳自己錯，先掉了那個孩子，又扔下這個孩子，妳自己有沒有腦筋啊！妳是不是比較愛那個，比較不愛這個啊！」

「愛就是愛，我統統愛，有什麼好比較？」婦人不服氣地說。

有個朋友，生活苦，又連生五個小孩。

作母親的眼看女兒一個接一個生，怎麼教、怎麼勸，都沒用，氣得逢人就說：

「我女兒有一天要是累死，那絕不是累死的，是笨死的！」

有一天出去，由女兒開車，一個孩子掛在懷裡，一個孩子綁在前座，三個大的關在後座，由老太太管理。

一路五個孩子大哭小叫，老太太頭都要炸了。卻見女兒在高速公路上，一邊開車，一面回頭盯著搗蛋的孩子笑。

「妳專心開車！回頭看什麼？」老太太吼。

「我看他們好可愛！」

老太太後來對我說：「要是有一天，我女兒出了車禍，絕不是技術不好，而是愛得太多。」

到一個朋友家作客，她一面爲大家斟酒，一邊說大孩子該出門約會了。果然，話才完，大孩子就從樓上下來，匆匆衝出門去。

吃飯時，她一面端菜，一邊對丈夫說「該開演了。」原來當天晚上，他家的老三在學校有表演。

飯後聊天，她一邊爲大家倒茶，一邊說「老二該到家了。」跟著就見老二進門。

「好像三個孩子全在妳的算計中。」我笑道。

「不是在算計中，是掛在心裡面。」她指指心：「我這個作媽的，沒辦法把自己拆成三份，但是可以把心分成三份。」

「每個孩子三分之一？」

「不！每個孩子都百分之百。」

常聽作父母的問孩子：「你比較愛爸爸，還是比較愛媽媽？」常聽子女不平地問父母：「你們比較愛哥哥、姐姐，還是愛我？」也聽過夫妻吵架，一方質問對方：「你到底愛我，還是愛你媽？」問題是，愛像蛋糕嗎？這邊切多一點，那邊就剩少一些。抑或愛能同時向幾個對象表達出百分之百？

曾在電視裡，看見一位貧苦的黑人母親，摟著她的一群兒女說：「我很窮，幸虧我有許多子女，許多愛。我能給他們每個人百分之百的生命，也能給他們每個人百分之百的愛。愛就是生命！」

愛是生命，生命是爲了愛！

當我們能爲所愛犧牲生命時，就表現了百分之百的愛，因爲犧牲的是百分之百的生命。只是，我們唯有一個身體，卻可能有許多「生死與之的愛」。使我們常不得不放下一群羊，去找另一隻迷失的羊。如同那位母親，扔下一個孩子，去找另一個，再回頭找這一個。

或許這就是愛的矛盾吧！我們與其恨自己有太多的愛，卻只有一個身體，一個生命，不如說：

「謝謝上蒼，雖給我一個身體，卻能讓我有許多愛，愛自己、愛親人、愛朋友、愛大地、愛生命。每個愛都是眞眞實實、完完全全。且愈愛愈深、永永遠遠……。」

【情深未了緣】

我祈禱她能做個永遠快樂的小婦人，
讓我呵護著，
輕輕鬆鬆、快快樂樂地長大，
找到那個屬於她的他，
被他疼愛一生……

被他疼愛一生

朋友的孩子結婚，教堂裡樂聲悠揚，新娘在父親的牽引下，走上紅地毯，黑人女歌手唱出嘹喨的讚美詩。

「好美喲！」前座三個女孩，小聲地交談。

「什麼？」

「歌聲！」

「還有教堂。」

「對！就是這種感覺，好神聖、好完美！」

「好嚮往！」

「可不是嗎！我可以不嫁人，但一定要結婚！」

「對！一定要來教堂，結這麼一次婚！」

◉

小時候，我家樓下開了一所「女子英文秘書班」。學生不多，所以都成了熟朋友。

有個女孩，大概才十八、九歲，總帶著一團線和鉤針，一下課就織，連聊天、看電視，手都不閒著。

「我喜歡這種感覺，慢慢地，一針、一針，好像在想事情，又好像沒有想，讓陽光灑進來，微風吹進來，好像小時候看見的媽媽。」然後，她歪歪頭，笑笑：「好想結婚唷！但一定要嫁個有錢的丈夫。」

「爲什麼？」我問。

「有錢丈夫才能買大沙發、大鋼琴、大餐桌、大冰箱，讓我擺我的針織啊！」

◉

到馬來西亞巡迴演講，一群年輕人，開輛小巴士，由吉隆坡送我去檳城。女孩們不斷放一捲台灣買的錄音帶，並跟著其中的歌聲，輕輕地哼，微微地搖擺。

「爲心愛的人做一份早餐……」一群小女生用短短的音，輕靈地齊唱，歌聲帶著笑意也串著夢想。

「好想結婚喲！」一個女生說：「好想爲他做一份早餐。」

「可是妳連男朋友都沒有！」另一個女生笑她。

「所以要找一個，找一個睡起來像大孩子的。然後，在他輕輕的鼾聲中，我偷偷溜下床，爲他燒好一份可口的早餐，再讓他在咖啡的香味中醒來。」

「好美喲！」一群女生一起喊：「好想結婚喲！」

◉

一個以前教過的女學生來訪。

「現在上班愈來愈辛苦。」她搖著頭說：「男人不再把我當女生看，把我當女人看。」

「難道以前不一樣嗎？」

「以前我小，他們比較客氣。」

「他們現在對妳不客氣？」

「應該說沒以前那麼疼愛，呼來喊去地。」停了一下，她抬起頭瞪大眼睛說：「老師，你知道嗎？女生是應該被疼愛的。我要找個疼我的男人，我好想結婚喲！」

◉

閒聊時，我對秘書提到學生的話。

秘書一笑：

「她講得眞對！女人哪！最能幹的有『幫夫運』，最幸福的有『旺夫運』。」

「有什麼不同嗎？」

「『幫夫』多辛苦啊！妳要幫著丈夫應酬，幫著丈夫打拚。還是『旺夫』好，妳只要乖乖在家守著，做個可愛的小女人，讓丈夫疼愛，買好吃的、好穿的、好戴的回來給妳享用。」

「這怎麼會旺夫呢？」

「當然會旺夫，丈夫爲了家裡可愛的小女人，拚命努力，拚命賺錢，愈賺愈多，還能不旺嗎？」她神秘地一笑：

「所以啊！女人就要作女人，發揮女人的長處，站在男人背後，守著他的窩，拴著他的胃，牽著他的心。爲他披上鎧甲、騎上戰馬，再抛給他一朵花、一個吻。讓他勇敢出征、奏凱而歸！」

●

每次把小女兒抱在膝上，餵她吃東西，我都有一種很滿足的感覺，好像出外覓食的公鳥，把蟲放進小鳥的嘴裡。

然後，我便想，等她長大了，作了媽媽，一定也會這樣餵她的孩子。不過我又總會笑笑，心裡對女兒說：

「希望妳有旺夫運，先找到個疼妳的丈夫，像我一樣，把妳抱在膝上，把最可口的東西，放在妳的小嘴裡。」

過去我盼望她做個女強人，要比男人都能幹。不知爲什麼，我近來改了。常想起那個鉤桌巾女生的話。想我的小女兒，有個大房子，坐在窗前，慢慢地、一針一針地鉤。讓陽光灑進來，風吹進來……。

我祈禱她能做個永遠快樂的小婦人，讓我呵護著，輕輕鬆鬆、快快樂樂地長大。然後，找到那個屬於她的「他」，被他疼愛一生。

【情深未了緣】

突然覺得這老人家，
跨過八十七年的歲月，
此刻卻縮在牀上，
如同我五歲的小女兒，
需要關愛和保護。

當老人變成孩子

天熱，吃涼麵。

「你不知道嗎？我從來不愛吃麵。」八十七歲的老母，居然把碗一推，轉身去冰箱拿了麵包和肉鬆。一邊把肉鬆往麵包裡夾，一面沒好氣地說：

「看到麵，我就想起你老叔，想起他，我就有氣！那年，我剛嫁到你們劉家，你奶奶怪，你老叔更混蛋。給他做了麵，他偏要吃餃子；等他吃完餃子，我回頭吃那碗麵，早涼了，我一邊吃，一邊掉眼淚。告訴你！記住了！媽從那時候開始，就恨吃麵。」

吃完飯，一家人在餐桌上吃水果。五歲小孫女的水果，照例由奶奶料理。將九十歲了，老人家的手還挺穩，削完了蘋果又切桃子。

「我要桃核！」小孫女喊著：「我要去種。」

「種桃子幹什麼？」老奶奶停下刀，叮囑著小孫女：「要種杏，別種桃！」

一桌人都怔了。

「『桃』就是『逃』！我逃一輩子了，先逃『老義軍』（軍閥），再逃小日本，又逃老共。還逃不夠嗎？」老奶奶喃喃地說：「所以要種就種杏，幸幸福福過幾年太平日子。」

●

不知爲什麼，跟著老母四十多年，最近卻聽了她一堆新故事。說實在話，我從不知她不愛吃麵，也不曉得她忌諱種桃子。怎麼一下子，全出籠了？連最近小女兒跟她學的兒歌，都是我以前沒聽過的。

「怎麼沒聽過？我從小就唱！」老母還不承認：「我爹教我的。」

最近提到我外公，老母的表現也不一樣了。以前她恨他，恨他又娶了個小，現在卻「我爹、我爹」叫得愈來愈親切。好像她縮小了，我外公又站在了她的面前。

於是那個原來所謂不苟言笑、偏心、重男輕女的老頭子，便一下成爲了會說故事、會唱兒歌、會買咕咕鐘的「好爸爸」。

「我爸爸也一樣。」一位老朋友頗有同感：「以前提到我爺爺，他都好像要立正似地，說『我的父親』，裡面還加上日文的『敬語』。可是這兩年不同了，他會說『我阿爸帶我去抓魚、我阿爸教我游泳』。當你看他說話的樣子，他不再是我的爸爸，倒成爲了一個孩子。」

◉

老人家確實愈來愈像個孩子。過去她很不喜歡小孩，後來只愛自己的孫子、孫女，現在則只要是孩子，她就喜歡。

有一天妻帶她從外面回來，看她提個重重的塑膠口袋，我問她買了什麼。

「買什麼？你不會感興趣的！全是糖，給小孩吃的。」

每次有小孩來玩，不論是親戚的小孩，或鄰居的洋孩子，就都往她的房裡鑽。每個人出來，都鬼鬼祟祟地，摀著口袋。說老奶奶教他們別說，把糖偷偷吃掉，或藏起來。

只是老人也像孩子般，愈來愈跟人分你我。好比愛藏玩具的孩子，什麼東西都要是自己的。

原來幾大瓶維他命，放在廚房，一家人吃，只要去拿就成了。不知從什麼時候開始，老人自己各存了一瓶。吃完飯，一定要回房，吃自己的。

原來一家人圍著看電視，現在老人也叫我又爲她買了一台，放在她的房間，常躲在屋裡自己看。還把小孫女找進去，看她電視裡的卡通。

她眞成了個孩子，使我想起兒子小時候，喜歡用紙盒子和脚踏車圍成一圈。然後躲在裡面，說那是他的家。過去年輕時，她喜歡串門聊天，現在還喜歡，只是不再出去串門，而希望別人來我們家。又最好是能進她的房間，坐在她的床邊，跟她講悄悄話。

有一天，我在花園工作，老母邁著解放小脚，一步步湊過來，又拉著我的袖口，走到院子一角，神秘兮兮地說：「來！媽問你，你賺的錢，夠不夠下輩子花？人都會老，別一天到晚買花，存著點兒，等老了用！」

我笑了起來：「原來是這事，幹麼神秘兮兮地？」

「當然了！咱們娘兒倆，總也有點悄悄話吧!?」老人家居然轉過臉去，有點激動：「你知道嗎？咱們好久沒說說親暱話了。」

突然發現老人的寂寞。一家七口，雖然熱熱鬧鬧，在她的心底，由於身體的衰退，愈來愈失去安全感，也愈來愈怕寂寞了。

●

或許人的一生，就像日出與日落吧！似乎回到同樣的位置，只是方向不同。

由出生時的啼哭，需要撫愛、需要懷抱，到開始學走路，開始抓取自己的東西；到「扮家家酒」，假設有個自己的小家；到愈長愈壯，覺得天地之間，可以處處爲家。

然後，過了中午，太陽西落。我們隨著身體的衰老，逐漸收回遙遠的步子，躲回家、躲回自己的房間，抓緊自己的東西，也抓緊自己的親人。

我們又像兒時一樣，需要親人的擁抱和呢喃。

母親老了！

我常得聽她進浴室的時間是不是太長，也在每晚就寢之前，先推開她的房門瞧瞧。

看她一個人睡著，昏昏的夜燈，映著牆上父親年輕時的照片，我有著一種莫名的感傷。突然覺得這老人家，跨過八十七年的歲月，此刻，卻縮在床上，如同我五歲的小女兒，需要關愛和保護。

「去買一張輕便摺疊的輪椅。」我對妻說：「明年春天，帶著她一塊兒，去狄斯耐樂園。」

（附記：如果您希望更深入地探討老人的心靈世界，請參考劉墉著《在生命中追尋的愛》。）

【情深未了緣】

緣來緣往，緣起緣滅，
其實從大處看，
緣是不來不往，不起不滅。
緣總在我們的四周，
我們總在緣的裡面。

總在緣裡面

早上拿到報紙，似乎比平常厚，原來是多了兩張大學聯考的榜單。密密麻麻的名字，塞滿一版又一版。這畫面很熟悉，也很驚心，讓我想起三十年前的驚心歲月。

大概因爲父母受的教育高，現在這些孩子的名字，跟以前是大不同了。有瓊瑤小說裡夢一般的「主角」，也有唐詩宋詞裡的「靈感」。相信他們的生活也一樣，每個人都是王子、公主，被呵護著長大。

當然，這些孩子的辛苦，恐怕不下於他們的父兄。不苦讀，怎能有金榜題名的一刻呢？

舉起榜單，最先看到的是台大中文系，我當年最嚮往的地方。

我一個名字、一個名字看下去，好像見到許多未來的文豪、學者和詩人。我想，那裡面說不定有朋友的小孩。

我看到一個名字，眼睛亮了，那是「××帆」，最後一個字跟我女兒一樣。她會不會也有個像我一般，希望女兒如一條小帆船，「乘長風、破萬里浪」的父親？

她現在眞是「乘長風」了，她和她的父母該有多高興啊！

我閉上眼睛想，那要是我女兒該多好？我多盼望她能把中文學好，將來進中文系，成爲另一個李清照。如果，現在一下子跳到了十二年後，我正看著自己女兒的名字，進入老爸嚮往的科系，我會不會老淚縱橫？

這「××帆」的女生，此刻會不會正有個老淚縱橫的父親呢？還有，那旁邊所有的人，這一整個榜單，每個名字，不都該是一陣歡呼，幾行熱淚嗎？

這密密麻麻，不是文章的榜單，突然變成一幅幅動人的畫面，突然變得這麼有情。每個人都是父母生養的、努力長大的，帶著許多自我的期許和親人的盼望，走進一個又一個考場，終於在今天，看到他的名字被印在這金榜之中。

只是，我又突然有點黯然神傷。想到在金榜之外的許多孩子，他們會不會正在飲泣呢？聽說有的父母因爲子女考不上學校，而不好意思面對隣居，他們會不會把這怨氣出在孩子的身上？

抑或，他們是開明的父母，有著體貼的心，把孩子的傷心當自己的傷心，把自己的勇氣灌輸給孩子？

使我想起有一回到個朋友家去。進門就見他上小學的女兒在哭，說是因爲沒考好。

「我不要第二名！我不要第二名！」小女兒又哭又氣地喊著：「我要第一，我從來都第一！」

原來她只是爲了沒能考第一名而哭。

女孩的祖母走了出來，把小丫頭拉到一邊，小聲地對她說了些話，孩子居然不哭，眼睛轉一轉，笑了。

「您對她說了什麼？這樣管用。」我問老太太。

「我問她考第一名的感覺好不好？她說當然好。我又問如果她第一名，是不是別人就拿不到第一？她說對！我就說：『考第一的感覺這麼好，妳已經連著拿三個第一，別人都沒機會，何不讓人家也能有一次這種感覺呢？』她想想有理，就笑了。」

眼前的榜單，「帆」的名字又映入眼簾，那不是我的女兒，但我眞爲她高興。我想，如果有一天，我女兒參加聯考，即使沒考上，我也會對她說：

「只有這些名額，妳沒上，總有人上。讓別人高興高興，不也挺好嗎？世界這麼大，念書的機會那麼多，下次再考，說不定也有別人會讓妳，使妳的名字能擠進去。」

◉

年歲愈大，愈覺得每個人的孩子都可以是我的。想想，在紐約爲我磨墨的，不是從小在台灣跟我學畫的男學生嗎？他現在已經是著名的影評人。

想想，在台北爲我校稿印書的，不是我從小帶大的女學生嗎？以前她老跟家人吵架，一不高興就住在我家。而今則連她母親，都在我的公司上班。

從前有個國君出去打獵的時候，遺失了最寶貝的弓。「人亡弓，人得之！」他居然一點也不急：「反正在我的國家裡掉的，總有我的國人撿到，何必在意呢？」

我常有同樣的感覺，別人生的子女、別人作育的英才，都可以成爲我的。我自己的孩子、學生，也可以成爲別人的。

緣來緣往，緣起緣滅，其實從大處看，緣是不來不往、不起不滅。緣總在我們的四周，我們總在緣的裡面。

多高興啊！我又看看那份榜單，一群緣，東南西北、不相識的，就將要同窗四年。至於那落在榜外的，會有多少偉大的莫內、羅丹？雖然進不了法國官辦的「沙龍展」，卻在未來燦爛出更美的火花。

那是另一種緣！

【夫妻未了緣】

她有外遇的消息，是她兄弟傳達的；
她的鐵鍊是父親鑄上的。
她的親人把她看成豬狗，
居然建議她的丈夫，回來把她處死……

輕輕摘下那頂綠帽子

二月，回到台北，又濕又冷，居然比紐約還難過。

突然接到個老學生妻子的電話，呑呑吐吐的，又好像在夢囈，隔了半天才弄清楚，原來他們已經離婚。

「是我不對，不要怪他。」她說：「我已經搬出來了。」

「搬回妳娘家？」

「不！不敢回去。老師！您不要問了好不好？我打電話只是想求您一件事。請他讓我回去拿幾件冬天的衣服，好冷啊！」

我立刻撥給了老學生。

他很熱情地接，但是當我提到「她」打電話來。那聲音就冷了：「她跟您說了什麼？」

「沒說多少，只說是她自己的錯。」

「當然是她錯！我中午知道，晚上簽字，第二天就去區公所登記。她跟我沒關係了！」

「你把她就這樣趕了出去？」我問：「十幾年夫妻，連件衣服也沒給她？」

「她自作自受！我把她的衣服全扔了。嫌髒！」

放下電話，我的耳邊迴盪的，是他那狠狠的兩個字——「嫌髒」。和她那顫抖的三個字——「好冷啊！」

◉

想起不久前看過的一部土耳其電影「生之旅（YOL）」，一個獲得「探親假」的囚犯，冒著紛飛的大雪回家，沒在雪中與妻兒擁抱，卻在柴房裡見到被鐵鍊鎖著的愛妻。

那已不再是他的「愛」妻，自從他在監獄裡聽說妻子紅杏出牆，愛情就變成仇恨。

那女子甚至不再是她父母的「愛女」，或孩子「親愛的母親」。她有外遇的消息，是她兄弟傳達的，她的鐵鍊是父親鑄上的。她的親人把她看成豬狗，居然在信裡建議她的丈夫，回來把她處死。

她的丈夫沒殺她。只是在第二天把她帶出家門。

丈夫牽著兒子，穿著厚厚的大衣，在風雪中前進。她，穿著薄薄的衣服，緊緊地跟隨。

每一步都陷在兩呎深的雪裡，她的脚漸漸失去知覺，腿也開始痲木。她對著遠處的丈夫和愛兒悽厲地喊：「救我！救我！狼會把我撕裂。」

嘶喊在風雪中顫抖，男人和孩子只是回頭看一眼，便繼續前進。

她終於倒下了。

或許那男人心裡也如我學生，想著同樣的一句話吧——「她自作自受」。或許他們都有了報復的快感——「讓妳凍死」。只是，夫妻十幾年的恩情，去了哪裡？還有母子的親情，又到了何方？

作丈夫的可以嫖妓，可以犯案（電影裡拍出了丈夫從前嫖妓的畫面）。卻在妻子守不住，而稍稍出軌之後，要置她於死地。如果他能裝不知道，那女子的親人也能裝不知道，這久別重逢的一家，將會有多麼溫馨的時刻！他們何必用自己的一念，將喜劇變作悲劇，且將悲劇變作永遠無法彌補的創傷？

◉

也想起托爾斯泰的短篇小說〈郭爾內．瓦希利耶夫〉。

一個富有的農場主人，在賣掉牲口，賺到不少錢，而高高興興回家的路上，聽說自己的妻子，僱用了以前的情人，而且走得很親近。於是把歸鄉的喜悅化爲暴力，不但狠狠修理了自己的老婆，還把撲過來的幼女甩到牆角。

幼女的手臂斷成三截，終生彎曲，沒辦法伸直。

農場主人一氣之下離家，酗酒、流浪，花光每一文錢，最後成了乞丐。

十九年後，他如殘燭般回到自己的村莊，死在殘障幼女的屋簷下……。

看完書，我的心情好沉悶，不知要哭、要恨，還是要笑。哭那家庭的悲劇？恨那婦人的出軌？還是笑那男人的無知？他如果能想想夫妻過去的歲月與恩情，而忍下這口氣。

那不仍然是個很美滿的家嗎？

只是，我也想。無論農場主人，或回家的囚犯，他們眞正的怒火，可能來自恥辱。而那恥辱則是四周人所給與的。

如果沒有所謂的傳統禮教，如果不是親人、鄉人在說閒話，作丈夫的不會覺得是奇恥大辱。所以判那女人死刑的，使那家庭破碎的，不但是當事人自己，也是這個「吃人的社會」。

◉

記得一九八七年，紐約一個引起軒然大波的案子。

一位不久前從廣東移民紐約的中國人陳東魯，懷疑妻子有外遇，在質問妻子，而妻子不否認另有所鍾時，竟用槌子打死了老婆。

案子送進法庭，紐約最高法院的法官平克斯（Edward Pincus）居然從輕發落，判陳東魯緩刑五年。理由是：

「陳的中國文化背景，有助於解釋他何以在此情況下喪失理智。」

連美國法官，都諒解中國男人對「綠雲罩頂」的感覺。只是難道女人就不是人？只為了那頂「綠帽子」，就能奪取妻子的生命嗎？

常想起以前看過的一個電影畫面——

一群村民由族長領隊，把裝在竹籠裡的「淫婦」押到江邊，再拴一條繩子，扔進江心。

村長坐得高高的，手上拿著一炷香，等香燒完了，才下令把竹籠拉起來。說「如果沒死，表示她沒罪；如果死了，就是罪有應得。」

也常想起基督教聖經中的一段。（約翰福音第八章）

有人抓了一個淫婦到耶穌面前問：

「夫子！這婦人是正行淫之時被拿的，摩西在律法上吩咐我們，把這樣的婦人用石頭打死。你說該把她怎麼樣呢？」

耶穌說：

「你們中間誰是沒有罪的，就可以先拿石頭打她！」

◉

我們每個人，都是人。是人，誰能不犯錯呢？只是有人犯錯，被抓到了，成爲笑柄、受到了懲罰。有些人沒被抓，就暗自高興，且看別人的笑話、定別人的罪。

曾聽人說，只有上天能饒恕人的罪。我卻要說，在上天沒饒恕之前，先讓我們學會饒恕；在上天絕我們的生路之前，我們應該先爲彼此留一條生路！

【夫妻未了緣】

如果沒了那個人，
就不再可口、不再可走、
不再美麗、不再好看……

如果少了那個愛

小時候，夏天的傍晚，母親常會做花椒油。先把麻油燒熱了，再撒下一把花椒，拿鍋鏟用力壓，劈劈啪啪地發出一種特殊的香味。

聞到那香味，我就知道，爸爸要下班了。

「醋溜冬瓜」是爸爸最愛吃的，清清淡淡的冬瓜湯，浮著一片花椒油，據說有消暑的功用，一直到現在，我都能記得，淡黃色花椒油，在燈光下反射出的圖案。還有那黑色的花椒，不小心被咬到時的辣辣的味道。

從父親在我九歲那年過世，不知爲什麼，母親就再也不做「醋溜冬瓜」。只是，每到夏天的傍晚，我總想起那道菜，想了三十多年，有一天，我忍不住地問她：「做一碗醋溜冬瓜好不好？」

八十七歲的老母一怔：「什麼醋溜冬瓜？」

「就是以前爸爸活著的時候，妳常做的那種湯啊！」

「那有什麼好吃？」她把臉轉過去：「早忘了！」

◉

多年前，住在灣邊的時候，屋後是樹林，林間有一條小徑。一對鄰居老夫婦，常在其中散步。

「別往樹林裡扔東西，小心打到老人家！」我總是叮囑兒子，因為很少有人去林子，兒子常拿樹幹當目標，往裡面擲石子。

「現在不會打到！」兒子照扔不誤，還不服氣地說：「誰不知道，他們五點才出來！」

秋天的黃昏看他們特別美，尤其是下雨的日子，樹幹都濕透了，成為黑黑的一根根；黃葉淋了雨，就愈黃得發艷了。兩位老人家緩緩走過，一雙傴僂的身軀，兩團銀白的頭髮，還有那支花傘，給我一種好特殊的感動。

有一天，半夜聽到救護車響，兩位老人就只剩下老太太了。

老太太還是自己開車出去買菜，呼朋喚友地開派對。只是，總見她在門前走來走去，卻再也見不到她在樹林裡出現。

有一天，我問她：「好久不見妳到後面散步了！」

「散步？」她搖搖頭：「沒意思！」

◉

有個五十多歲的女學生，比年輕人還用功，規定畫兩張，她能畫十張。每次看她把畫從厚厚的夾子裡拿出來，都嚇我一跳。

她的夾子特別大，也特別講究，裡面是三夾板，外面糊上布料，還有個背帶和拉鍊。許多學生見到都問：

「哪裡買的夾子啊？好漂亮！」

「我先生爲我做的。」

她的丈夫是個木匠，除了爲她釘一張特別的畫桌，還把房子向外加大，蓋了一間有透明屋頂的畫室。

「那是我先生和我兩個人蓋的！」她得意地形容，他們怎樣先在地面釘好木框，再合力推起來，成爲一面牆。

後來，她丈夫心臟病死了。她還是來上課，還背那個大夾子，只是，夾子打開，常只有薄薄一張草率的畫。

然後，她直挺挺地坐著，看我爲她修改，有一天，突然蒙起臉、衝進廁所。

接下來的日子，我沒再見到她，聽說她過得很好，只是，不畫了。

◉

自妻退休，就常在書房陪我。我寫文章的時候，不能說話，她只好默默地整理帳單、資料。

怕她無聊，上次離家前，我特別拿了一本《鴻，三代中國的女人》，交給她：「這本書寫得不錯，我走了，妳可以看看。」

她居然接過書，就開始讀。我離家前不過兩天，她一邊陪我，一邊看，居然已經看了三分之一，還發表評論，說「寫得很冷，但是感人，非常好看！」

兩個多月之後，我回到紐約，走進書房，看到那本書。

「覺得怎麼樣？」我問她。

「噢！還沒看完。」

「看了多少？」我翻了翻，翻到一個摺角。

「就看到那兒，大概三分之一吧！」她抬起頭：「不陪你，書有什麼好看呢？」

◉

一碗可口的醋溜冬瓜、一條幽幽的小徑、一幅美麗的圖畫、一本好看的書。

如果沒了那個人，就不再可口、不再可走、不再美麗、不再好看！

【生生未了緣】

何必活在痛苦的記憶裡？
不去想，
就是活下去的方法！

不要回憶了吧！

年輕時，作過五年電視記者，主持了許多節目，也獲得不少掌聲，卻總難忘記一件糗事。

那是訪問名小提琴家馬思聰的一個特別節目，由我製作、主持。「投奔自由」之後，第一次到台灣的馬思聰，當時眞是全國的新聞焦點，接下這個節目，我既興奮又緊張。興奮的是能獨挑大樑，緊張的是節目要現場播出。

一個小時的特別節目，除了馬思聰演奏幾曲，剩下的全是訪問。

事先閱讀了馬思聰的各種資料，我擬出了自認爲最精采的題目，並且預估了馬思聰可能作答的時間。因爲只有這樣，才能把節目的進度控制好，也才能適時「上廣告」。

所有的題目中，最重要的一個，是請馬思聰回憶文化大革命時期的遭遇。

我相信，這是觀衆最希望聽的，也應該是內容最精采的。當然，更是馬思聰最有得說的。

時間長度？最少十五分鐘！說完，就上廣告！

節目準時播出了，經過前面一段寒暄，我提出那最重要的題目：

「馬先生！經過這麼多年的海外流離，您是不是能回憶一下，逃出鐵幕之前，文化大革命時的遭遇？」

馬先生居然淡淡一笑：

「事情都過去了！不要回憶了吧！」

我怔住了，全攝影棚的人都怔住了，空氣凝固了！原本算好十五分鐘的答案，只用五秒鐘就答完了。任我怎麼追問，馬思聰就是那句話——

「不要回憶了吧！」

多年來，我一直把這件糗事掛在心上，覺得馬思聰是怕涉及政治，而刻意逃避。直到最近。

「辛德勒的名單」獲得奧斯卡最佳影片之後，紐約電視台製作了兩小時的專輯。

專輯裡播出了當年屠殺猶太人的瓦斯毒氣室。天花板上懸著一條條管子，管子下端是「噴頭」。

成千上萬的猶太人，有大人，也有孩子，被騙說傳染病流行，而剪短頭髮、脫光衣服，排著隊進去。

然後一群群抱在一起，尖叫著死去，再一堆堆被拖出來。

紀錄片裡，是高高的焚屍爐煙囪，死去的活人和「活著的死人」。

許多孩子伸出細細的手臂，上面刺著號碼。

許多人像是木乃伊般，搖擺地走著。

專輯裡也訪問了倖存的人。

記者問：「請你回憶一下當時的情況。」

其中一位，居然淡淡一笑：

「不要回憶了吧！」

他是一位知名的攝影師，專輯裡拍了他的近作，都是色彩華麗、充滿幻想的畫面。記者很不解地評論：

「眞不知道，爲什麼那些痛苦的記憶，完全沒有進入他的作品？」

倒是另一位倖存者說得好：

「何必活在痛苦的記憶裡？不去想，就是活下去的方法！」

我突然發現，他們跟馬思聰是多麼相似。

◉

想起我二姨說過的話：

「你二姨父，文化大革命的時候被抓進去，每次我去看他，都勸他嘴軟一點，認個錯，不要想得太多。結果，那些不去想以前的人，都熬過來了，你姨父卻死在裡面。」深深嘆口氣：「他沒辦法不去想以前哪！」

也記起小時候在巷口擺水果攤的伯伯。總跟我父親說當年怎麼穿著睡衣、跳上牆頭，看土共衝進他的家門……」

我很小，卻能記得這麼清楚，是因爲他形容自己的身手矯健，使我佩服極了，想像他是會輕功的武林高手。

只是，三十年過去，再回到那條街上。景觀全變了，他的小竹棚，改建成樓房。水果攤收了，靠租金過日子。

「我父親在世的時候,常提起您,說您是日本留學的鐵路局長,家裡的產業……」

「不要回憶了吧！」他揮揮手，抬起眉頭，瞇著眼，吐著煙圈，看著街上駛過的一輛又一輛車子。

下午的陽光，把他蓬鬆的白髮照得好亮好亮。

那畫面，我永遠不會忘。

【生生未了緣】

那是一個個人，
帶著他們一生的經驗，
生與死、愛與恨，
眞眞實實地攤在你的面前……

當我們親身投入

「妳覺得我們前年去歐洲，什麼地方最好玩？」有一天，我問妻。

她歪著頭想了想：「都好玩，但是印象最深的，是那個古堡。」

我沒問她是哪個古堡，因爲我猜得到，雖然看了幾十個古堡，她說的必定是「那一個」。

早忘了是在什麼國家、什麼城市，甚至很難記得古堡的全貌。因爲遇到大塞車，我們到達古堡的時間已經很晚了。

斜斜的夕陽，把殘破的古堡映成深紅色，我們站在城牆邊看下面的小城，整齊的房舍、尖頂的教堂、斑駁的秋林，和遠遠閃著天光的一彎小河。

只看了一下下，導遊就催我們走。

遊覽車在山脚的停車場等，爲了趕時間，我們不得不沿著山邊的小徑走下去。天暗了，小徑上落滿黃葉，有些溼滑，相互扶持著，總算來到山脚。

旅行團的人還沒到齊，我們豎直衣領，站在冷風裡，看河面駛過的汽船，和後面閃爍的浪花與倒影。

不知爲什麼，跑了五個國家，看了瑞士的雪山，也遊了萊茵河的瀑布，我們印象最深的，卻是這個已經忘了名字的古堡。

我們甚至很難形容出那古堡的樣子。

只是，那不是隔著車窗見到的，也不是坐在遊船裡瀏覽的。而是，我們親自，一步、一步，走進去，又走出來的。

那不是客觀的欣賞，而是主觀的感受，用我們的全身投入。

◉

由前年開始爲台南玉井鄉的德蘭啓智中心募款，可是，直到去年初，才眞正見到「德蘭」。

白髮的修女和成群智障的孩子來迎接，帶我看他們的教室、復健中心、手工藝作品，和迷你小馬「阿寶」。

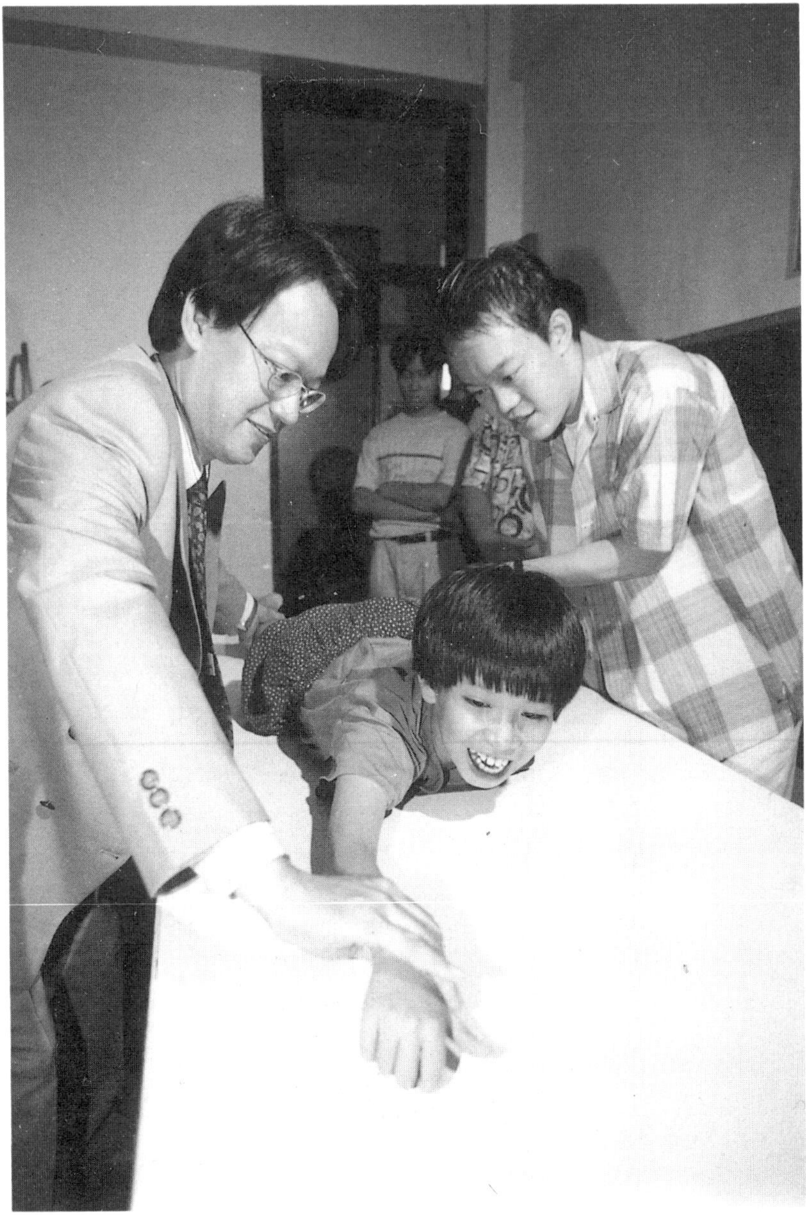

△來！小朋友，讓我們教你手脚並用向前爬，讓我們帶你站起來！（蔡宗昇攝影）

我跟著院裡的「阿嬤」，學習怎麼教孩子爬，發現一般幼兒天生就會的爬行動作，對那些腦性麻痺的孩子，竟是如此困難。

我也試著扶一個孩子坐起來，才知道他僵直的身體，難以彎曲，他一生都不曾眞正地坐過。

我把一個十歲的孩子抱起來，驚訝地發現，她竟然不及我五歲的女兒重。

當我走出德蘭啓智中心的大門，發覺自己跟幾個小時之前有了許多不同。我看到一群遠比我「更投入」的修女和老師。當我在外面演講募款時，他們正一勺勺地餵孩子，一步步地教孩子。

如果我是站在岸上高呼救人的，那些修女和老師，則是跳到水裡親自去救的。

我突然明白了一件事——

知道不等於發現，觀望不等於投入，「精神加盟」不等於「親自參與」。那些只是把支票寄出去的善人，無論他捐多大金額，都不可能獲得那種「親身投入」的感動。

◉

不知爲什麼，明明年歲愈大，應該愈能疏離，我卻愈來愈對人的接觸，有著強烈的感動。

到學校裡演講，聽一群孩子唱校歌，沒聽懂幾個字，卻激動得想流淚，覺得那歌聲甜美如聖詩。

那是最美的，人的聲音。

看瑪莎葛蘭姆的學生舞蹈，沒有優美的音樂，沒有華麗的布景，只見一群人在台上跳躍，但是，聽！那腳步落在舞台上的聲音，多有彈性，多麼實在！

如同瑪莎葛蘭姆所說——當文學與繪畫，都透過身體以外的作品來表現的時候，舞蹈者用他們「自己」去呈現。

那是一個個人，帶著他們一生的經驗，生與死、愛與恨，真真實實地攤在你的面前。

人，多麼可愛的動物！生命，多麼美妙的感動！

直到今天，我才發現，這可觸、可嗅、可看、可聽的「身體」，才是天地間最眞實的。

總記得一個火警新聞的畫面——

一位救火員，才抱著救出的孩子跳上雲梯，就低頭爲孩子作「口對口」的人工呼吸。

孩子奇蹟般復活了。救火隊員接受訪問，只說了一句話：

「當我的呼吸成爲他的呼吸，那是世界上最眞實、最快樂的事！」

今天的我，不再喜歡只是隔著窗子看風景，也不再認爲慈善捐款的數字能代表一切。我只是常想起，那天傍晚，在古堡小徑上，每一步踏下去，都聽到的秋葉的嘆息，和生命的觸感。

還有那十歲的孩子，如果我不曾把他抱起，我怎麼也不會了解，什麼是：生命中不能承受之輕！

【生生未了緣】

一個女人站在瓦礫間，
抱著兩個劫後餘生的孩子說：
「我的丈夫死了，
可是我的家還在，
孩子在哪裡，哪裡就是我的家。」

生生世世的家

劉墉

◉生生未了緣◉

有位老太太，因爲長瘤，而不得不把子宮切除。
手術之後，三個孩子圍在床邊，等著老母甦醒。
老太太睜開眼，居然一笑：
「孩子！可憐的不是我，是你們哪！」
孩子都怔了。
老太太又一笑：「你們的老家沒啦！」

◉

在朋友的宴會上，遇到個叫陳巍方的小女生，手裡拿著一個好別致的小本子，精裝的封面外，還綁了個蝴蝶結。
「要看嗎？」小女生遞給我：「全是我的小詩。」
翻開來，果然每一頁都寫著短短幾行，有些還配了簡單的插圖。
看到一個小房子，很好奇，看下面的詩——

「淋到雨了！
沒關係，
反正就要回家啦！
想要尿尿，
沒關係，
反正就要回家啦！
不想綁鞋帶耶，
沒關係，
反正就要回家啦！
就要回家
就要回家
我們就要回家啦！」

多可愛的小詩！那麼簡單，那麼眞切，彷彿看到那個淋了雨的女孩衝進家門。好像回到我的童年，一抬頭，看見我的家。

◉

放長假，兒子從哈佛趕回來，一進門就大喊：

「我今天看到我們家了！」

「回家當然看見家。」我說。

「我是從飛機上看到！」兒子喊：「機場太擠，飛機多繞了一大圈，我看到海灣，看到旁邊的公園、游泳池，然後找到咱們家。」

「有沒有看到我和你媽？」我問：「剛才我和她在院子裡。」

「怎麼可能？那麼高！看到屋頂就是看到家。」

◉

佛羅里達州大風災，許多房子都被掀了頂。

電視裡播出滿目瘡痍的畫面。

一個婦人舉著一塊牌子，對著鏡頭笑。

牌子上寫著：「屋頂在哪裡，哪裡就是家。」

在她背後，可不是嗎？一個破爛的屋頂躺在地上。

◉

因爲「聖嬰作用」，氣候突變，明明應該不是雨季的加州，居然豪雨不停，許多房子都被沖走了。

一位老先生站在洪水過後的廢墟上接受訪問。

「你的房子不見了，天氣又這麼壞，你有沒有計畫搬走？」記者問。

「笑話！你只看到三十天的雨，怎麼不看看剩下的那三百三十五天？」老先生頓頓腳，指著地，一個字、一個字地說：

「院子在哪裡，哪裡就是家！」

●

日本神戶大地震，彷彿再經歷一次廣島和長崎的原子彈。

成群的建築夷爲平地、成堆的屍首等待掩埋。

一個女人站在瓦礫間，抱著兩個劫後餘生的孩子，滿面淚痕地說：

「我的丈夫死了，可是我的家還在，孩子在哪裡，哪裡就是我的家。」

●

東西漂泊，雖然家裡老小還有六口，八十多歲的老母卻好像總在我離別時，染上濃濃的寂寞。

「年歲大了，怕孤單，你走了，雖還有人聊天，就是覺得少了什麼。」滿臉皺紋的老母，好像有點靦腆地靠近我，小小聲地說：「你哪次，帶著我一塊回去看看，好不好？」

「家裡不是挺好嗎？」我問。

「人老了！跟著你最心安，你在哪兒，哪兒就是家！」

◉

於是，她八十六歲那年，我又帶著她上了飛機。

十八個小時之後，就要降落了。老人家伸著脖子，望著下面的田野：

「多好啊！跟著兒子回老家了。回完老家，再回紐約，就不出來了，等著回天家了。」

我一笑。突然想到那位動子宮手術的老太太，發覺我正帶著自己的「老家」回老家，偏偏她又覺得我是她的家，且想著有一天，回天上的家。

家，這是個多麼實在又抽象的字啊！讓我們用一生去追逐，用一生去愛戀，且追逐到來世。

這就是家，一個生生世世未了緣。

【生生未了緣】

在東京新宿的歌舞伎町，
一群非常年輕的泰國女孩，
濃妝艷抹地對著鏡頭笑：
「我們每個月都寄錢回去……」

小童工的笑與淚

早春種的小白菜，已經可以收成了。

我採取的是「粗耕」，也就是撒一大片種子，不必等每棵菜都長得極大，就開始拔。

那些菜因爲種得密，都長得不很肥。三、四吋的菜葉，竟連著兩三吋的根。我把女兒叫來，教她就蹲在菜圃旁邊，幫忙把根摘掉，免得將泥土帶進屋裡。

小丫頭很認眞，一棵棵地摘，還唱著不知名的歌。使我想起兒子小時候，也幫著做事的樣子。

那時候我剛開始出書，每張郵撥單都得自己處理，寫好地址，把書裝進信封，再將袋口封上。

兒子才四歲，幫的就是封袋口。小小的手已經能拿釘書機，手指壓不動機器，則放在桌面上按。我很喜歡這種一家老小，一起工作的畫面，覺得家就是個「共榮圈」，每個人都貢獻心力，求這個家的繁榮。

倒是有朋友看到了，說我是非法使用童工，有虐待兒童的嫌疑。我說：「爲家盡一分力，覺得自己長大了，應該是一種快樂啊！」

一轉眼，說這話已是近二十年前的事。從東半球，漂到西半球，又漂泊了許多地方，對自己說的那段話，信念雖沒改變，卻增加了千百種滋味。

在紐約第六大道的地毯公司裡，賣地毯的商人指著地毯神秘地說：

「這可不是一般人織得出來的，那些都是八、九歲的印度小女孩織的。只有那種纖細的手指，才能織出這麼精緻的東西。她們把厚厚的地毯攤在地上，年紀小，舉不起來。只好在地上挖一個個洞，站在洞裡，把頭和手伸在外面織。」

「不是太可憐了嗎？那麼小！」我說。

「爲賺錢！爲她們的家啊！」

有一年看電視，報導南美洲的安地斯山脈。看到許多男孩子，最小的不過七、八歲，卻吃力地把一塊塊礦石背上肩，跟在一群大孩子背後，艱苦地走著。

他們應該幼嫩的皮膚，都曬成了深褐色，背負石塊留下的白色粉末，就顯得格外清晰。畫面中，有個孩子的石塊掉下來，把腳趾砸了，流了一地的血，孩子卻默不作聲，用布隨便纏了幾道，又把石頭背起來，追著大夥，越過山脊。

從山脊下望，是一片綠野，許多炊煙，有些孩子用手指，說那裡是自己的家。

他們終於把礦石背到山下，交出去，換了工錢，高興地，甚至有些得色地回家。

一群人在暮色中笑著、跑著，包括那個一拐一拐，傷了腳的孩子。

◉

又有一次，也是電視專題報導。

外景，拍的是泰國的鄉村，一片低矮破爛的建築，以及其中呆呆坐著，空空地望著前面的人們。突然，出現了幾棟現代化的兩層樓，還有著圍牆。

馬路兩邊，形成強烈的對比，一側是頂不擋雨、衣難蔽體的貧民窟，一側是樂聲悠揚的小康之家。

那家中確是小康，老一輩穿著整齊，笑吟吟地招呼客人，小孩們坐在地上看彩色電視。有個女孩抬起頭說：

「過兩年，我也會出國。」

接下來的畫面，是日本，大概是東京新宿的歌舞伎町。一群非常年輕的泰國女孩，濃妝艷抹地對著鏡頭笑：

「我們每個月，都寄錢回去！」

「再過半年，我就不做了。回去，結婚！」

「長大了，爲家盡一分力，有什麼不好？」

鏡頭又回到泰國的窮鄉，車子開過去，一側是破爛的木屋，一側是新起的兩層洋樓。

然後，一群孩子笑鬧著跑過……

◉

每一次，要小女兒，幫我在澆花時拉著水管，或幫她母親把新買的衛生紙放進櫥子。

看她吃力地拉水管，和拖一大包、一大包的衛生紙。又在完成使命之後，神氣地跑來說：「我做完了！」

我都會誇她：「妳好棒！長大了，可以爲家做事了。」

每次這樣說，我心中都會產生一種悲憫，覺得自己的孩子好幸運，覺得老天好不公平。

【漂泊之歌】

近幾年總有四海漂泊的感覺。

有時爲了研究工作，不得不漂泊；有時爲了放逐心靈，是自我的漂泊。

漂泊使人反省。當飛機開始升空，大地漸遠，從另一個角度，看下面的人事與歲月，有一種特別的愁緒；當飛機開始下降，看久別的故土或「新臨的世界」逐漸清晰，又有一種異常的激動。

漂泊也使人年輕，只有心靈年輕的人敢於漂泊，走向未知、走向新生。然後累了、倦了，想回家。回家不久，又計畫著另一次漂泊。

以下這些短篇，都是用漂泊的靈感寫成。有遠達北歐的，也有近在東亞的，還有些紐約和台北。因爲在我心中，紐約與台北，都可以很近，也可以很遠。

因爲人生就是一種漂泊。

漂泊的八首歌

當生命過去，把自己交給大海，聽潮來汐往，把形貌分散……

何必問曾經

這世上大概沒有不愛撿貝殼的人吧！

挽起褲管、赤著腳，守在浪恰好打不到的地方。等浪撲過來，激起一片泡沫，又迅速撤退的時候，趕緊衝向前，在那新洗過的沙灘上「搶」一個貝殼，再嬉笑著、驚叫著，躲過跟來的浪頭，是多麼刺激的事。

那是一種冒險、一種賭博，甚至是向大海盜取。如果「盜來」的又是個美麗無比的貝殼，拿來傲視群儕，更是何等的快意。

當然，這撿貝殼也可以在退潮的沙灘慢慢爲之。寬廣的海灘上留一串脚印，聽潮汐沙沙的、海鷗嘎嘎的。且走且拾，且拾且還給大海。或是撿了新的，扔掉舊的；

似有爭，卻無爭，又是何等地優閒！

只要見到海，我就會想去撿貝殼。從太平洋撿到大西洋，從北海撿到痲六甲。我的畫室裡，有個大大的水皿，堆著成百的貝殼，堆著一個小小的七海世界。

來訪的朋友常翻動著我的「七海」，品頭論足地論高下。然後，他們總會舉起兩個問我：「這是什麼？是貝殼嗎？哪裡是哪裡？」「大概是碎片吧！都磨得不成形了！」

「美不美？」我不正面答，只是反問他們。

「挺漂亮！」「很美！」

「這就好了！」我說：「美，又何必問她曾經如何？」

那幾個貝殼都是我坐澎湖醫療隊的船，去一個無人島上撿的。撿的時候好失望，把「她們」放在沙灘上，想拍張照片，告訴台北的朋友「那裡的貝殼有多爛」。

貝殼小，我用了顯微鏡頭，從照相機裡望出去，呆住了！我看到的不只是那六個殘破的貝殼，更有著億萬顆彩色的沙粒。有黑、有白、有黃、有紅、有橙。

那裡面一定也有許多是更破碎的貝殼變成的吧！我把「她們」帶回台北，常拿來端詳，想：

當生命過去，把自己交給大海，聽潮來汐往，把形貌分散，成爲小小美麗的塵沙，睡在天地之間。

那是多美的事！

△有一天，我們會睡成大地的一部分，把愛分散，成這彩色的塵沙。

△千萬隻紙鶴，千萬次祝福，祝妳們乘鶴而去，有個美好的來生。

千羽鶴一串串，美麗如那兩百位少女的年華，輕柔如同她們脆弱的生命……

飛舞的千羽鶴

到沖繩度假，去了最北的蘭花公園，也到了中部的仙人掌公園，印象最深的卻是南方「平和祈念資料館」前的「千羽鶴」。

一個銅頂的小亭子下面，垂著許多七彩的掛飾。走近看，才發現都是用紙鶴串起來的。

「全是小女生一隻隻摺好，再每一千隻作一串，拿來獻給死去的亡魂的。」日本導遊說：「二次大戰結束前不久，美軍打到沖繩，兩百多位擔任救護工作的高中女學生，一起守著山洞裡的傷兵，被炸死了。」

走進「平和祈念資料館」，看到那一幅幅女學生的照片。全是花樣的年齡啊，最屬於夢和幻想的，正等待輕啓情竇心扉的，竟然這樣死去，死在一個不知所以的戰爭中，死在大戰結束的邊緣。

沖繩原來是中國的屬地，她們或許是我們的血親，只因爲被日本佔了，便不得不站在日本那一側。

想起趙滋蕃的詩句，「誤盡蒼生的終究是權利之爭」。誰對誰錯？值與不值？是中國還是日本？都成爲不重要的事。生在哪兒，便吃在哪兒，便以那裡的語言說，便用那裡的方式想，便被推上那裡的舞台，便成爲被那裡鬥爭的可憐蒼生。

千羽鶴一串串，隨著太平洋的海風搖擺，美麗如那兩百多位少女的年華，輕柔如同她們脆弱的生命……

△妳們是我屋頂的風景、冬天的守護。

屋頂上的小草

就算冷，想想屋頂上，那些小草都撐著，人又怎麼能怨呢？

不知爲什麼，我從小就愛看見屋頂上長草，倒也不是喜歡斷垣殘壁間長出的雜草，而是愛那種屋裡住著人家，屋上長著小草的感覺。

那是兩不相害，也是一種緣。我自過我的日子，妳自偷偷地生長，我也不去拔妳，只當妳不曾存在，只當妳是我簷上的風景。

多美啊！那不是一種天人合一的境界嗎？

◉

去年秋天，到挪威去，興奮極了，因爲走入鄉村，處處人家的屋頂都長著密密茸茸的小草。還有像小樹的、開小白花、小紅花的。尤其在北方斜斜陽光的映照下，逆光看去，每株小草都在發亮，美極了！

「好奇怪呀！爲什麼這裡的屋頂特別會長草呢？」我忍不住地問導遊。

「自己種的！房子蓋好，先在屋頂鋪一層樹皮，再撒上土和種子，草就出來了。」導遊說：「在挪威，十月就下雪，沒多久，草被雪蓋住，看起來好像死了，但沒眞死，它們還活著，在雪下面偷偷活著，等著第二年春天再生。也正因爲這些草，外面即使到零下十幾度，屋子裡也不會太冷。就算冷，想想屋頂上，那些小草都撐著，人又怎麼能怨呢！」

◉

今年春天，去台北金華街看林玉山老師，發現他隔壁人家的石綿瓦上，居然一片翠綠。往下看，不見任何枝莖，顯然不是由地上長出的攀藤，而應該是從屋瓦上生出的小草。

「是啊！以前我剛從嘉義來台北，就覺得好稀奇，只有在台北，這種陰濕多雨的地方，春天才會長出這種草。」林老師一笑：「現在空氣汚染、車子多、灰塵大，附近又開了好多餐館，炒菜的油煙沖天，這種草居然不但沒受影響，反而長得更好了。大概用那積下來的灰塵和油煙做養料吧！只是到夏天，屋頂太熱，它們就不見了。也不是不見，是明年再發。」

從林老師家出來，等他關了門，我又佇立良久，看那密得幾乎垂下屋頂的小草，想到陶淵明的詩：

結廬在人境，而無車馬喧，問君何能爾，心遠地自偏……

屋頂的小草，多美呀！不論在挪威或台北，它們都是亂世中的君子，令我欣賞，也讓我震撼。

△當岡都拉上的情侶，在橋下擁吻，可有個嘆息的靈魂，正在窗間俯瞰？

嘆息橋的傳說

男人攀著窗櫺俯視，見到一條窄窄長長的岡都拉，正駛過橋下，船上坐著……

到威尼斯的人，一定要坐岡都拉（gondola，一種狹長的小船），坐岡都拉的情侶，一定要經過「嘆息橋」，且在橋下擁吻。

「嘆息橋」不像威尼斯的幾百座橋，供行人穿越。它是座橋，也橫過水面，但高高懸在兩棟樓宇之間。

一邊是總督府。白色的大理石上刻著圖案、托著拱形的花窗，據說在十四世紀的共和國時代，裡面可以同時容納一千六百位王孫貴冑。

「嘆息橋」的另一邊，也是石造的樓房，只是外表一片漆黑，方形的窗口全圍著粗粗的鐵柵。據說這是當年的監獄，在議事廳裡被判刑的重犯，便被打進這個死牢的地下室，再也見不到外面的世界，只有一個機會——

當犯人被定罪，從總督府押過嘆息橋的時候，可以被允許，在那橋上稍稍駐足，從鏤刻的花窗，看看外面的「人間」。

「人間」有聖馬可廣場的碼頭，一條小河從下面流過，河上可以見到三座橋。橋上走著行人，橋下穿梭著岡都拉小船。船上坐著情侶，唱著情歌。

據說有個男人被判了刑，走過這座「橋」。

「看最後一眼吧！」獄卒說，讓那男人在窗前停下。

窗櫺雕得很精緻，是由許多八瓣菊花組合的。

男人攀著窗櫺俯視，見到一條窄窄長長的岡都拉，正駛過橋下，船上坐著一男一女，在擁吻。那女子竟是他的愛人。

男人瘋狂地撞向花窗，窗子是用厚厚大理石造的，沒有撞壞，只留下一攤血、一個憤怒的屍體。

血沒有滴下橋，吼聲也不曾傳出。就算傳出，那擁吻的女人，也不可能聽見。血跡早洗乾淨了，悲慘的故事也被大多數人遺忘。只說這是「嘆息橋」，犯人們最後一瞥的地方。且把那悲劇改成喜劇，說成神話——

如果情侶能在橋下擁吻，愛情將會永恆。

◉

我走到聖馬可廣場的碼頭，仰望那高高懸著的「嘆息橋」，看一對對情侶，坐著岡都拉穿過橋下，擁吻、照相。

船伕正唱起「哦！我的太陽！」

△當我像骷髏般垂下，且讓那片新綠，輕輕攀上我的肩頭。

△多麼可愛的嬰兒，承繼了逝去的歲月與生命。(攝於維格蘭雕刻公園)

那就是古戰場。但爲什麼這樣平靜？

生死交替的古戰場

讀到唐詩「可憐無定河邊骨，猶是深閨夢裡人」，有一種好特殊的傷感。彷彿見到一堆枯骨，臥在漠北的「無定河」畔，又看到個深閨的婦人，夢著她的丈夫。

自那以後，便常想到古戰場，便常到古戰場去憑弔。站在諾曼第的海灘，想六月六日斷腸時，戰火沸騰了大西洋的海水；也站在盧溝橋前，讀紀念碑上訴說的悲壯往事。

那就是古戰場。但爲什麼這樣平靜，好像從未發生過大事。白雲千載空悠悠地飄過，草是格外綠了，海是分外藍了。

法國的導遊哈哈笑道：「如果不指給你看，誰知道這裡流過多少血，經過大轟炸，害蟲被燒死了，黏土被炸鬆了，下面的土被翻起了。土更肥，草也更綠了。」

◉

大陸女「地陪」（導遊）也輕鬆地一笑：

「瞧！每隻獅子都不一樣，倒沒見什麼『槍眼』，許是把打壞的換了新。幸虧打那麼一仗，要不，這橋怕早廢了，哪還來得這麼光鮮！」

◉

到蘇荷區一位老朋友的畫室去，案上放個白白的骷髏，兩隻眼洞裡居然伸出許多小花。

「古戰場的憑弔！」主人笑道：「白白的配綠綠的，死去的配新生的，多美！」

◉

在奧斯陸的雕刻公園，看到個小小的浮雕。

一個光溜溜的小娃娃，高高站在枯骨上。不知那枯骨是什麼動物，只見髑髏上空空的兩個洞，望著娃娃，望著天空。

◉

今天，在我秋日的菜園裡，也有了相似的景象。

一棵曾經光燦無比的向日葵，結了豐實的種子，卸下她的工作，枯乾死亡了。像是一尊枯骨，低著頭，垂著雙臂站立著。曾幾何時，旁邊一枝藤蔓已經攀上她的肩頭，且含苞、將綻了。

遠處的百日菊正熱熱鬧鬧地登場。

站在花前，我看到的是個生死交替的「古戰場」。

△不是我騙你喲！誰讓你來得這麼晚，我的袋子已經空了。

沒吃，沒關係。可別覺得我騙了牠！

我可沒騙牠

到倫敦的海德堡公園，沒見到站在肥皂箱上演講的政論家，見到一位可愛的老人。

「有沒有麵包？有沒有餅乾？」老人問每個過客：

「給我的小鳥一點吧！」

果然一隻小麻雀正站在他的手上，東張西望。

老人繼續問路人，只是每個人都搖搖頭。

抓住機會，我爲老人拍張照，才拍完，小鳥就飛了。

老人搖搖頭，抖抖手裡的空塑膠袋：

「每天我都來餵牠們，今天這隻來得最晚，我的鳥食都沒了。」
說完，轉過身，撿起枴杖，顫悠悠地走了。邊走邊嘆氣：
「沒吃，沒關係。可別覺得我騙了牠！可別覺得我騙了牠……」

△在熙來攘往的街頭，吟吟唐詩、讀讀洋報，對大家一笑：「時常半滿就好！」

現在我不求多，希望不空，也別太滿……

時常半滿就好

在熙來攘往的台北街頭，攔到一輛計程車，方向盤前放著幾份英文報。車不快，堵車也不躁，碰到紅燈，便見他拿過報來念上兩段。

突然發現那疊報旁邊，有個放零錢的小盒子，盒上寫著「時常半滿就好」。

「人生就是這樣，不要太貪，不要太過，以前年輕，爭強鬥勝，吃虧的都是自己。」他指指盒子：「現在我不求多，希望不空，讓一家老小能吃得飽；也別太滿，想得太多，只會失望。所以，時常半滿就好。」

車到忠孝東路，兩邊摩托車飛馳而過，騎樓下的人低著頭向前衝。車子緩緩停在我上班的大樓前。臨下車，想到手提箱裡有本《唐詩句典》。

「送給你吧！應該很適合你。在這『亂市』享受些閒適！」我說。

下車，竟發現談了一路，還沒看清他的臉，只記得那個小盒子——

時常半滿就好！

我看見了！在那極光裡，有好多小人、小馬、小狗、小貓……

一條靈魂的河

從紐約飛台北，經過阿拉斯加的上空，突然被空中小姐叫醒：

「劉先生，您有沒有見過極光？現在可以看到呢！」

向窗外望去，是一片漆黑的夜色，下面見不到雪山，上面看不到星光，只有中間一條條隱隱約約的白雲。

「極光在哪兒？」

「就在那兒啊！」她用手畫著圓圈：「那一圈一圈的，亮亮的，就是極光。」

我把臉貼緊窗子，又用雙手遮在眼睛兩側，我驚住了，原來那一條條白色的不是雲，而是光。是極光！

△快來看！在那極光裡，有阿公、阿媽，還有天使、小鳥、小貓、小狗和……

那又不能稱之爲光，因爲光有源頭，有光「線」。那一條條的光卻彷彿自己會發光的「螢光彩帶」，彎來轉去地在天空漂泊。

遠遠地，它們分幾路從無垠的夜空中伸過來，突然各自彎轉、交叉，再由飛機的左右繞過去。

「機長說，有時候它彷彿貼著飛機，好像能摸得到。」空中小姐用手比著。可不是嗎！我現在就覺得能摸到。隨著視力逐漸適應外面的黑暗，那極光變得更清晰也更接近了。我覺得它，好像是由億兆顆小星星或碎琉璃組成的。對了！根本就是一條條浮動的星河。

這星河從什麼地方流來，又要流向何方呢？我盯著「它」，隨著它轉動，模糊中竟覺得那些小星星眞的在動，他們又不是星星，而成爲一個個生命。

或許是靈魂吧！無數無數在世間走完這一生的靈魂，都被特別強的磁場凝聚在兩極，再由這兒集合，飛向宇宙。

但是，他們爲什麼不直直地飛向外太空，卻像條河一樣，在這天空徘徊呢？

或許，他們仍然對這世界、對他們的親人，有許多留戀吧！他們慢慢地、慢慢地，一群群、一隊隊，飛過天際，俯視著下面的紅塵，投注最後的一瞥。

「我看見了，在那極光裡，有好多小人、小馬、小狗、小貓，沒有仇恨、沒有爭鬥、沒有說話，安靜祥和地向我們揮手，又依依戀戀地繞著我們的飛機，向我們道別。」我喃喃地說。

「是嗎？是嗎？」空中小姐笑問。

「是啊！我想，當有一天，我們的親人過世，他們都會變成這極光，化身爲星河，走向宇宙的深處，走向另一個時空。」我說：「有一天，我的親人逝去，我願再一次見到這極光，向他道一聲珍重別離！」

【親子未了緣】

我甚至覺得，孩子們最初感受到人生的虛幻，
就是在氣球破掉的一瞬間。
幾乎每個人，在童年的記憶中，
都有氣球破掉的印象……

生命中的氣球

我幾乎不曾見過，一個在氣球破了的時候，而能不哭的小孩。

他們可以眼睜睜，看著氣球飛上天，而忍著不哭。也能把氣球由拍來拍去，到踢來踢去，最後踢到一角，任它逐漸縮小，只當不曾存在。

但是，那個新到手，牽在手裡，會飄到高處的大大的彩色氣球，可千萬不能突然破掉。

有什麼比這更糟糕的呢？許多興奮、新鮮與美麗，突然只剩下一根細細的線，和一小塊薄薄的皮。

何況還有那「砰」的一聲，嚇一跳，怎能不「驚慟」？

我甚至覺得，孩子們最初感受到人生的虛幻，就是在氣球破掉的一瞬間。幾乎每個人，在童年的記憶中，可以不記得別的玩具，卻一定有氣球破掉的印象。

●

我記得最清楚的，是父親爲我買的最後一個氣球。

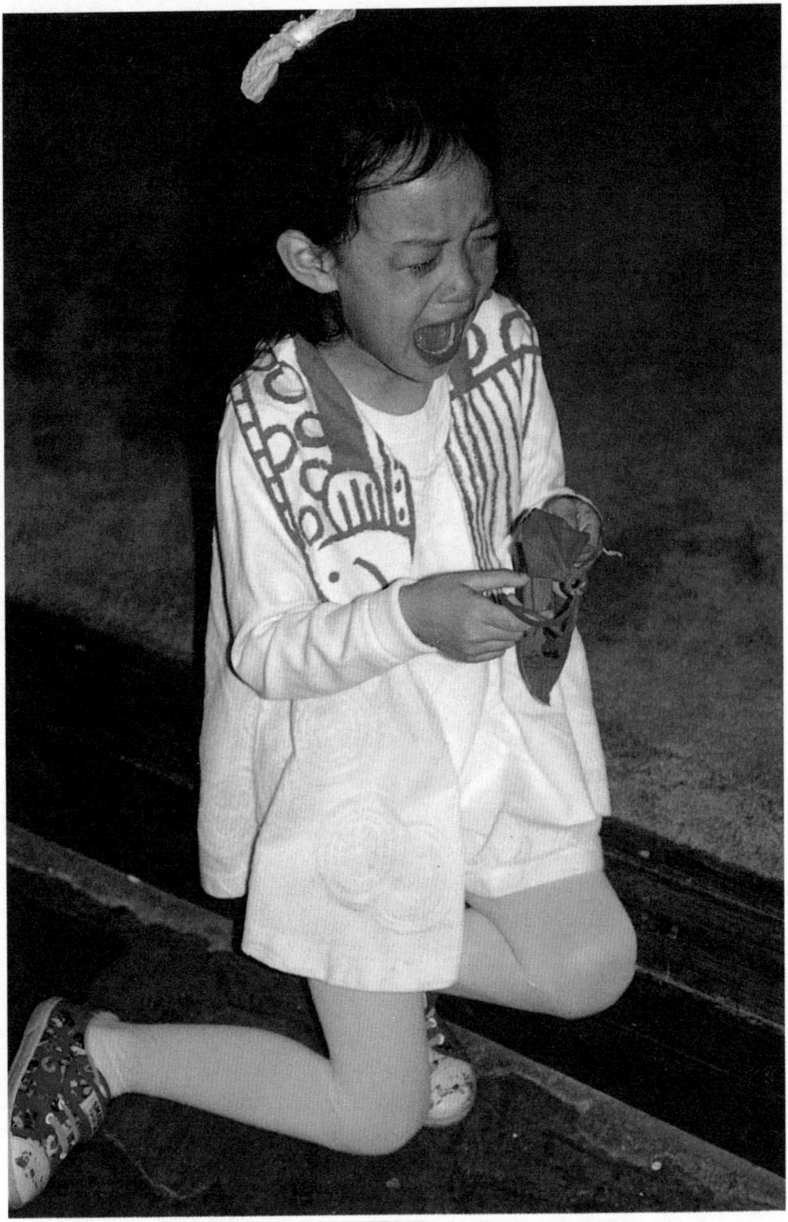

△砰！嚇一跳，我的大氣球呢？怎麼變成一片薄薄的皮？哇……

那時候，他已經有了腸癌的病徵，住在空軍醫院檢查。

傍晚，醫院門口有人賣氣球。父親拖著沉重的步子，爲我挑了一個最大、最結實的氣球。

那根本就像個會飄浮的籃球，連顏色都像。

我牽著氣球在醫院的長廊裡跑，幾個士兵在旁邊對著我笑。我跟他們說這氣球非常結實，因爲它的皮很厚，像籃球一樣。

我把氣球拍過去，讓他們拍回來，漸漸大家圍成一圈拍。我在當中興奮地又跳、又叫。

突然，「砰」！大家的笑聲停住了，走廊裡一片寂靜。阿兵哥們攤攤手，一個個露出歉意的笑，走了。

我撿起地上那片橡膠皮，慢慢踱回父親的病房。

從門口望進去，昏黃的燈照著父親蠟黃的臉。母親和醫生，幾個黑黑的影子站在牀前。

我有一種好奇怪的感覺，覺得那一晚，破的不是氣球，是我幸福的童年。

◉

轉眼，已經近四十年了。就像父親的那個年歲，我又添了女兒。如同父親當年，帶著我去釣魚，我也常帶著女兒去海邊散步，聽潮來汐往，一波波地撫著沙灘。

這一天，海邊有「街坊節」的活動，每位小朋友都能得到一個大大的氣球，顏色自己挑。

女兒挑了個橘紅色的，興奮地牽回家，拉著四處獻寶，拉著滿屋子串。

「小心！碰到尖東西會破！」話剛出口，事情已經發生了。

砰地一聲巨響，女兒愣愣地站著，環顧四周：

「氣球不見了！」

「當然不見了！氣球破了。」我把那塊「皮」撿起來，交到她手裡。

小丫頭放聲大哭。

淚水像斷線珠子似地，一串串不停滾下來。

在她的淚眼裡，我居然看到自己的童年。我把她的眼淚擦乾，摟在懷裡。安慰她：

「不哭！有爸爸在，健健康康的，改天帶妳出去，買更大更漂亮的氣球。爸爸不生病，爸爸要活長一點，陪妳買氣球。」

【親子未了緣】

睜開眼，婆婆怒氣沖沖地站在牀前。
夜裡在牆角點了一盞小燈，
照在婆婆臉上，
像鬼似的……

別擋住春天

十幾年前，在報上看到一則有趣的新聞：

一個年輕的婦人總是頭疼，找了許多醫生，吃了各種止痛藥，就是治不好。後來去了精神科，終於發現病因——因爲她的婆婆不准小兩口在臥室門上加鎖，卻又經常在半夜三更，冷不防地推門進去察看。

每次小兩口親熱，都提心吊膽，怕婆婆推門進來。媳婦尤其緊張，不但無法享受魚水之歡，還造成頭疼的精神官能症。

看完報，我哈哈一笑，只當是個「趣談」。沒想到最近有個以前教過的女學生向我訴苦，居然比報上的故事，還來得神話。

「有時候我正作夢，突然臉上狠狠挨一巴掌，睜開眼，婆婆怒氣沖沖地站在牀前。夜裡在牆角點了一盞小燈，照在婆婆臉上，像鬼似的，把我魂都嚇掉了。」學生比個張牙舞爪的樣子。

「她爲什麼打妳呢？」我問。

「因爲我把棉被拉到一邊，讓我先生溜到被外面去了。挨打好幾次，我實在怕了，只好跟我先生分被，一人蓋一床，總可以了吧！」學生哭喪著臉：「可是我婆婆又說我不體貼，不像個太太。眞是進也不對，退也不對。前些時更妙了，我先生身體不好，我婆婆又說是因爲我太體貼了，居然不准丈夫跟我睡。」

「睡哪裡呢？」

「嘿嘿！說了您也不信。」學生笑了起來：「跟他老媽一起睡！」

◉

使我想起以前一位鄰居老太太。養了三個兒子，個個長得蠻牛一樣，可是在老太太面前，又都服貼得像綿羊。

他家大掃除，可眞精采。老太太發號施令，叮鈴咚隆，前刷後洗，好像要把房子翻過來一般。沒半天，安靜了！東西各就各位，打掃得一塵不染。

只是好景不常，沒幾年，兒子娶媳婦，分別搬了出去。

剩下老太太一個人，倒也沒閒著，這家串串、那家住住。常見她匆忙地進進出出。再不然，就是整夜地打電話。

她的耳朵不好，嗓門大，半夜三更尤其聽得清楚。似乎全在罵媳婦，罵完媳婦罵兒子，罵著罵著就哭號了起來，說什麼要死了。跟著，便見兒子趕來，那哭聲就更響了。

妙的是，又隔一陣，老太太不再哭，她笑了。三個兒子都離了婚，搬回來，一家人，又回復了原先的樣子。

每次，我看老太太在三個兒子的簇擁下出門，都想，她是成功了，還是失敗了？抑或她成功了，兒子失敗了？

◉

也使我想起在美國認識的一對老夫婦。

剛到美國大女兒家的時候，那老太太常哭，說放不下家裡的二女兒。又說二女兒有多乖、多體貼。就因爲太老實了，所以快四十歲，還沒嫁。幸虧有兩老陪著，照顧她的生活。

說到這兒，老太太就掉眼淚：「我們這次出來拿綠卡，一住半年多，眞是可憐我二丫頭了，四十年沒離開過爹娘，她怎麼過啊！」

又隔一陣，老兩口終於趕回了國內。

家還是原來的樣子，也仍然是老太太燒飯，每天等著女兒下班。

只是，沒住多久，老先生居然催促著老太太，回美國的大女兒家。老太太拗不過，依依不捨地走了。

再隔一陣，二女兒來信，說戀愛成熟，要結婚了。

「我們出國出得對。」老先生後來跟親近的朋友偷偷說：「我回台灣的第一天，就知道了。不能久待，非走不可。」

「爲什麼？」朋友問。

「我打開家裡水龍頭，流出來的水，全是紅的鐵鏽！再看看水電瓦斯，幾個月沒用過。你說，我們該不該走？時代不同了。」老先生大聲笑道：「這叫『別擋路！』」

●

記得我二十多歲的時候，因爲在電視公司當記者，已經有點知名度，也常出去應酬。我可以自己作東，不讓桌上任何一位賓客被冷落；也能在大人物面前，闊談天下事。

不解的是，每次我跟著母親，參加她老朋友的聚會，似乎就一下子縮小了，小到那種聽令叫叔叔嬸嬸的年齡，連菜都不會夾，等著「大人」夾到我盤裡。

我後來常想，我的口才和風采都到哪裡去了？爲什麼在老母身邊，我就成了乖乖牌，不再有主見，不再用思想，只是如同過去的二十多年一般，等著被安排？

我發現事態嚴重了，如果再不知道如何轉換身分，我的創造力和潛能都可能受到束縛。

轉眼，我的兒子也已經二十多歲。

今年夏天，他回國。幾天之後，我問他有什麼收穫。

「你一天到晚盯著我，我怎麼可能有收穫？」兒子一瞪眼：「你能不能不要整天用BB Call找我？」

我不再盯他。又隔一陣，我問他有什麼收穫。他又一瞪眼，說：「大家都叫我是劉墉的兒子，你處處為我安排，我怎麼可能有收穫？」

我不再為他安排，讓他自己去南部闖。

一個月之後，他回到紐約，好像變了個人，更自信、更開朗，甚至，更會關懷家人。

過去，我搬東西，他總站在旁邊看，等著「我叫他過來幫忙」。現在，他會主動幫忙。

過去，他會斤斤計較零用錢，現在突然變得大方。

有一天，他笑著問我：

「老爸，咱們到過大陸那麼多地方，你知道哪個地方我覺得最好玩？」

「懸空寺？應縣木塔？雲岡大佛？秦始皇墓？石林？滇池？灕江？」我猜了一串地方，他都搖頭。

「是故宮！」他笑道：「我知道你猜不到！」

「爲什麼？」

「因爲你說你去過太多次，叫我一個人去。沒你在旁邊，我可以用我自己的眼睛看，當然最好玩！」

◉

在父母眼中，子女似乎永遠長不大。我們牽著他們的手，由學走路的娃娃，到初入學校的孩子。再牽去中學註冊、牽進結婚禮堂……

我們不斷地牽，只是牽著、牽著，不再感覺手上的重量，反而把我們的重量，加在了他們手上。

我們成爲他們的負擔、他們的電燈泡，甚至他們創造力的束縛者，卻不自知。還以爲他們是長不大的孩子，需要我們牽引。

我眞是欣賞那位知道及時隱退的老先生。我常想，當他打開水龍頭，流出濃濃的鏽水時，心中是怎麼想？是失落還是欣喜？抑或失落中有欣喜——

「多好啊！她終於找到屬於她的春天了！」

【親子未了緣】

妳意外地有了孩子嗎？
請不要墮胎！
我們給妳生活費、生產費，
請把孩子留下來，
讓我們這對沒有孩子的夫妻來疼愛！

養的恩情大過天

在我住的小鎭上，有個很著名的義大利餐廳，每次經過那兒，女兒都會指著喊：「看！我同學蘿拉生日派對的地方。」

那次派對，是我太太帶女兒參加的，據說辦得非常盛大，除了有專門帶孩子遊戲的小丑，怕家長們無聊，還特別安排了大人的節目。參加的人都說蘿拉有福氣，雖然只有一個單親媽媽，但是，對這晚來的獨生女，眞是寵得像個活寶。

但是，有一天蘿拉突然不再上學，接著聽說她媽媽心臟病發，死了。更令人驚訝的是，蘿拉是由哥倫比亞領養來的，照約定，現在得把她送回哥倫比亞。

許多家長都去參加了喪禮，看到躺在棺材裡的四十多歲的女人，再看看坐在旁邊，一雙眼睛無助地張望的五歲孩子，許多人都掉了眼淚。

所幸，不久聽到消息，蘿拉沒被送回哥倫比亞，因爲她媽媽的遺囑交代，把她送給自己的妹妹。幼稚園裡的小朋友似懂非懂地，一個傳一個：

「蘿拉現在叫她阿姨媽媽了！她到別的學校，那裡的老師也很愛她，她的老師也是被領養的。」

只是，小朋友們有好一陣子不安，常拉著自己的媽媽問：「我是不是妳領養的？妳會不會忽然死掉？」

◉

在美國的遊樂場裡，常看到一個有趣的畫面——

一對夫婦帶好幾個孩子，一個白皮膚孩子牽在手上，一個黃皮膚的孩子背在肩頭，懷裡還抱了一個黑黑的娃娃，每個孩子都管這對夫婦叫爸爸媽媽。

於是耐人尋味了。是因為他們不會生，所以領養了三個？還是自己生了一個不夠，又去抱養了兩個？

美國人似乎並不避諱這個問題，許多孩子從小就知道，即算不知，父母等他們大了也會說。你問他們知道之後，會不會造成隔閡？大人孩子都一笑：

「怎麼會？我們之間充滿了愛！」

◉

一位領養孩子的朋友說得好：

「領養的比親生的緣分還深。親生的孩子，是在自己子宮裡找到的。領養的孩子，是在這個世界上找到的。子宮多小？世界多大！子宮裡的孩子，當然是太太跟丈夫生的；世界上的孩子，卻是億萬不認識的人生的。憑什麼，我們在那億萬人裡，就找到了他？」

前些時，紐約時報登出個驚人的新聞：

「去年六月，十七歲的丹尼拉．佛西坐在法庭裡哭。法官當面撕掉她的綠色身分證，命令她使用新的名字瑪莉娜．撒法羅妮。並且警告她，永遠不得再用『佛西』這個姓。」

原來驗血證明，這女孩不是她父母親生的。更可怕的是，發現她親生父母竟在七〇年代，被她的養父母殺死，她是認殺父母的仇人爲父母。

可是在法庭上，這女孩哀求留在養父母的家裡。

新聞見報，許多人議論紛紛。有的人主張嚴懲那些殺人盜嬰的劊子手。有人則說：「換作我，我也留在養父母家裡。」

有位朋友講得很有道理：

「要知道！佛西的父母是在戰爭中被殺的。戰爭怎會長眼睛呢？她倒應該感謝養父，是他長了眼睛，沒讓她被殺，還抱回部隊、抱回國養大。他救了她一命，是恩同再造，這『再造』不就等於『親生』嗎？」

◉

這也使我想起一九九二年秋天，美國的一則大新聞——

一個十二歲的男孩，公然上法庭，要求脫離親生母親，並留在養父母身邊。

小男孩不顧親生母親哀求的眼光，很堅決地說：

「我認爲她根本忘了我，她完全不關心我的死活，幸虧養父母收容我。現在她又要我回去，我絕不回去！我已經不愛她！」

小男孩勝訴了，因爲許多事實證明，他的母親沒能照顧他。既然形同拋棄，不如讓眞正愛他的人來收養。

突然想起很早以前，在報上看過的一個小小的分類廣告：

「妳意外地有了孩子嗎？請不要墮胎！我們給妳生活費、生產費，請把孩子留下，讓我們這對沒有孩子的夫妻來疼愛。」

我當時心想，如果眞有人因此救下了一個小小的生命，且給他家、給他愛，把他養大。那領養的恩情與親生有什麼分別呢？甚至可以說，親生的母親要殺掉孩子，養父母把孩子救下，後者比前者更偉大。

◉

「生的請一邊，養的恩情大過天。」

這句台灣諺語說得眞好。生，總在激情之後。許多生不是眞爲了生，而是激情之後的意外。

懷孕的負擔不過十個月，生產的陣痛頂多一兩天。但是當孩子生下之後，由小到大，父母會有多少負擔？多少陣痛？

要吃、要喝、要穿、要繳學費、要送出國、要牽到地毯的那一端，樣樣都是負擔。

每個病痛、每個傷害、每個迷失、每個遲不歸來的夜晚，都牽動父母的心，像是千萬次陣痛。

◉

記得大學時代有位女同學，是家裡的獨生女。非常巧，校園裡出現了一個跟她長得一模一樣的女孩子。兩個人碰面，妳看看我，我看看妳，像照鏡子一般。

獨生女回家告訴媽媽這個巧合。沒想到媽媽臉色變了，突然掩著臉，哭了起來。哭完，擦著眼淚把她叫到身邊，說出了她的身世。

她立刻跑去親生父母的身邊，留下哭泣的養母。過幾天，她回來了，緊緊地抱著養母說：「我覺得妳才是我的媽媽。」

又隔了幾年，她已經大學畢業。有一天，母女二人聊天，聊到她小時候。做母親的說：「記得媽生妳的時候……」話到一半，突然止住了，一掩嘴，不好意思地說：「對不起！媽忘了妳不是媽親生的。只是，只是怎麼都覺得妳是從我肚子裡出來的。」

每次想到那畫面，都覺得好眞、好美、好溫馨。

【親子未了緣】

如果有一天發生災變，
一邊是父母，一邊是子女，
你只能救一邊，
你會選擇父母，還是子女？

爲了犧牲爲了愛

自從搬到長島，便有了許多醫生做芳鄰。不知因爲醫生對生死特別敏感，還是錢賺得太多，常見他們杞人憂天，爲死後操心。

他們倒也不是怕死，而是怕「山姆大叔」。唯恐偌大的遺產，被美國政府抽去。「想想！遺產稅這麼高，死了不久，孩子就得繳。沒那麼多現款怎辦？只好賣房子！」

「是啊！我們一死，孩子連窩都沒了！」

人一爲死操心，保險掮客就有得賺了。只見衆家「醫生娘」，不是去聽「遺產稅」講座，就是「爲子女立基金」的演講。

那五花八門的講座，倒也提供不少「點子」。譬如怎麼讓孩子不能一次領到遺產，免得年輕時亂花，到老了又窮。又譬如，怎麼避免不上路的媳婦或女婿，假結婚、眞弄錢。

「你們要知道，如果我們早早死了，孩子雖然法定十八歲才能領遺產，有些不肖之徒，很可能設好局，沒等孩子到十八歲，已經騙一大筆，寫下借據。等孩子領到遺產，左手進、右手出，全給了別人！」

「小心哪！你兒子的女朋友，搞不好不是看上你兒子，而是看上你！看上你家的大房子！」

一個嚇一個，加上保險掮客推波助瀾，許多有錢太太，居然皇皇不可終日。

有一天大家聚會，又提到死後的事。我好奇地問：「你們怎不想想，如果留下太多錢，很可能對子女不但沒好處，還有壞處。你們活著省，死了，他們浪費！」

「這有什麼錯呢？」有位醫生笑道：「我們活著忙死了。半夜三更，電話一響，已經『開三指』，衣服沒穿好，就往外衝，飛車去接生，搞不好，撞了。」他雙手一攤：「自己沒享受到，總該有人享受吧？」

◉

其實爲子女發痴的，倒也不全是這些醫生，附近中國城裡，總傳播著各種「可憐老人」的故事。

有些老人家，到處罵自己的孩子，說兒媳婦不孝順、兒子窩囊。害自己站都站不穩了，還要幫他們洗衣服。

還有些老人，罵完孩子罵美國，說全是美國人害的，居然打長途電話的時候，孩子在旁邊看錶。在電話單上，把老頭、老太打的電話一一勾起來，要錢！

「你不是很有錢嗎？」

「是啊！」老人家直哭：「早就分給他們了啊！」

「爲什麼不自己留著？」

「怕一下子死了，被抽遺產稅呀！」

◉

想起以前聽過的一個故事：

有個老媽媽，老得不能走路了。兒子不願養她，把她背上深山，餵狼吃。

老媽媽在兒子背後倒沒閒著，手上抱了一包白色的小石塊，一路扔。

兒子回頭問：「娘！妳扔石子兒幹什麼啊！」

「娘怕你迷路，下不了山！」

●

有一天，我在台南演講，說到愛往往比較向下，而不向上。父母愛子女，總比子女愛父母來得多。還舉了個例子，問現場的聽眾：「想想！如果有一天發生災變，一邊是父母、一邊是子女。你們只能救一邊，救了這邊，另一邊就得死。你們會選擇自己的父母，還是子女？」

我沒給答案，怕太敏感。

回到台北，接到聽眾的電話。

「我跟我媽一起去聽了您的演講。」一位中年女士的聲音：「回家的路上，我媽就問我：『照劉墉說的，一邊是孩子，一邊是妳老娘，妳救誰？』」

我嚇一跳，心想：糟了！給她找了麻煩。十分緊張地問：「妳怎麼答呢？」

「我想了半天，不願意說假話，所以我答『我救我孩子！』」

我的心跳更快了：「妳母親有沒有生氣？」

「她居然沒氣，還鼓掌，大聲叫好，說對極了！因爲換成是她，她也先救我。」

◉

常想起當兒子念高中的時候，有一天我把拍好的底片交給他，要他下課之後，繞個路，幫我送去沖洗。

晚上，他把底片原封不動地帶了回來，說他有事，沒能過去。

我火大了：「你到底把老子的事，還是你的事放在第一？我的重要？還是你的重要？」

「當然是我的！」他居然一副很無辜的樣子說。

我氣死了！氣了好久，每次想到都生氣，心想：我是他爸爸，父親的事，比天還大，兒子那麼說，眞是大逆不道。

只是一天天過去，看他一天天大了，開了演奏會、上了演講台、出了散文集，收到的信件比我還多。有時候他的同學打電話來，說話也不再像毛頭孩子。每次見他忙進忙出，我開始想，自己以前是不是錯了？

我們把他生下來，就是生下個生命、生下個獨立的人。他從小要吃、要喝、要東西、要零用錢、要私生活、要他自己的見解和價值觀。

他有什麼錯呢？他不長大、不獨立，怎麼去尋找他的伴侶，養育他的下一代？

◉

看生物影片，四千多公尺的喜瑪拉雅山上，大多數的植物，都凍得匍匐在地面上。卻見幾棵像燈籠般的樹，高高地站著。

那不是樹，是一種草，在粗大的莖上，長滿薄而透明的葉子，層層包著它的種子。

研究人員拿溫度計測量，外面是冰冷的寒風，那樹葉包裹的裡面，卻有攝氏十八度之高。多麼聰明的植物啊，用薄薄的葉片搭成玻璃般的溫室，呵護著它的種子。

然後，種子成熟，母株死亡。

◉

怪不得有人說，愈是對下一代有愛的生物，愈能在這個世界生存。經過億萬年的隕石風暴、冰河凍原，能綿延到今天的生物，都有著最能犧牲的上一代。

我們因愛而結合、因愛而犧牲，因犧牲而綿延。我相信，如果有一天我的孩子說，他自己的事比較重要，他更愛他的子女。

我會像前面那位開明的母親一樣，爲孩子鼓掌！

【親子未了緣】

就在掰開的一剎那，
彷彿總會聽到父親的聲音：
「瞧！這就是眞東泥！」
也總聽見小店老闆罵道：
「放你媽的狗臭屁！」

有爸爸多好

「劉小弟要不要吃糖？」

小時候，每次跟父親到勝利點心舖，胖胖的老闆總會先拉我到門口，一排高高的糖果桶前面說：「自己拿！自己拿！」然後，不必等我動，他已經兩手各抓一大把，往我褲袋裡塞。

雖然才六、七歲，我已學會了客氣，躲躲閃閃的，沒等糖放好，就往父親身邊跑。一面跑，糖一邊掉，胖老闆則跟在後面撿，氣喘吁吁的再往我懷裡塞。

父親在中央信託局上班，辦公室在武昌街，離衡陽路的勝利點心舖不遠。他跟老闆很熟，常把同事往店裡帶，還得意地說那些點心是由他建議改進的，胖老闆則猛點頭說：「可不是嗎！可不是嗎！這一改，味兒更對了！」

勝利賣的都是「京味兒」的北平點心。最讓我難忘的，是「翻毛大月餅」，大大的、白白的，上面印朵紅色的小花。我總是小心翼翼地捧著，因爲稍一碰，月餅皮就會層層像羽毛似的掉下來，掉一地，被母親罵。

父親常爲我用刀切開，切成小塊兒，容易放進嘴裡。有時候切棗泥餡的月餅，切完，刀上黏了些棗泥，父親還把刀放進嘴裡，舔乾淨。一邊說：

「這是眞棗泥！眞正紅棗做的，很貴很貴！」

那棗泥確實好吃，不太甜，卻有一種棗香。和著像鵝毛般的皮兒，一起嚼，感覺特殊極了。我尤其記得，有一次沒等父親切，自己先掰開一塊，雖然成了兩半，那棗泥卻絲絲相連，拖得好長。

「瞧！這就是眞棗泥！」父親說：「黏而不膩。」

◉

我九歲那年，大家正準備買月餅的時候，父親卻嚥下最後一口氣。從那年，我沒再進過「勝利」。

母親不帶我去，說勝利的東西太貴，老子死了，吃不起。月餅哪裡都有，隨便買幾個，應應景，就成了。

有一回，我們到家附近的點心店買了幾個棗泥月餅，我當場掰開一個，沒有絲，一絲也沒有，根本是豆沙。

「這是假棗泥！」我說。

那老闆居然當場變了臉色，大聲罵道：「放你媽的狗臭屁！」

母親一聲不響地拉我走出店，還教訓我：「你怎麼指望這種小店賣眞棗泥呢？你老子活著的時候，眞把你慣壞了！」

我沒吭氣，只是心想，他罵我媽，我媽爲什麼不生氣？爸爸在，就好了！

還有一件讓我不解的，是每次我去小店買糖，雖然只是最便宜的爛糖，那老闆卻在他的髒手裡，數來數去。爲什麼勝利的胖老闆，大把大把地抓糖，他從來不數呢？

◉

三十五年了，一直到今天，每次妻買了棗泥月餅回來，我都會把它先掰開來看。

就在掰開的一剎那，彷彿總會聽到父親的聲音：

「瞧！這就是眞棗泥！黏而不膩。」

也總聽見小店老闆罵道：「放你媽的狗臭屁！」

然後，我會把小女兒叫來，摟在懷裡，一面餵她吃月餅，一邊對她說：

「有爸爸，多好！」

【親子未了緣】

當白雪公主吃毒蘋果的時候，
她的爸爸在哪裡？
當灰姑娘被欺侮的時候，
她的爸爸在哪裡？

没了手的爸爸

陪女兒看狄斯耐的卡通「獅子王」。

「眞高興，終於在狄斯耐的卡通裡出現爸爸了。」走出戲院，我興奮地說。

「不對！不對！狄斯耐卡通裡都有爸爸，只是沒有媽媽。」小女兒立刻叫了起來。

妻也附和：「是啊！沒有爸爸，白雪公主和灰姑娘哪來的後母？睡美人有國王爸爸、木偶皮諾裘有木匠老爸爸、『美女與野獸』裡的美女不也爲了救她爸爸而留在古堡嗎？所以狄斯耐的電影裡，主角多半死了親媽，剩下保護不了孩子的飯桶老爸！」

我怔了一下，答不上話。想到「睡美人」裡對付不了巫婆的國王爸爸，和許多其他故事中後娘的嘴臉。

可不是嗎？當白雪公主吃毒蘋果的時候，她的爸爸在哪裡？當灰姑娘被欺侮的時候，她的爸爸在哪裡？

狄斯耐製造了一堆無能的父親，難怪我忘記了他們的存在。

◉

許久以前在報上看過一個有趣的新聞。台北某幼稚園的主任爲了解孩子心目中的父母，特別收集了一百多幅小朋友的圖畫，發現裡面大多數的父親沒有手。

「在孩子心目中，父親是缺乏接觸的人。」幼稚園的主任說。

父親眞是不太跟孩子接觸的嗎？我想起女兒小時候，洗澡全由我負責。有一回生病吐奶，我甚至急得用嘴去吸她被奶堵住的鼻孔。

但也想起有一次到朋友家，看他的女兒尿布濕了。朋友要去幫忙，卻被他急忙趕來的母親拉開，十分嚴肅地說：

「男人，怎麼能做這種事？這是女人的事！」

難道舊社會父親那種不苟言笑，不太跟孩子打成一片的樣子，竟是所謂的「風俗禮教」教出來的嗎？

△爸爸的眼睛亮亮，爸爸的嘴巴笑笑，爸爸身上有太陽，爸爸就是沒有手。

◉

記得大學時代，一位老教授說過：

「男人就像公鳥，當母鳥在窩裡孵蛋的時候，公鳥的責任是出去找東西吃。所以男人不能待在家裡，他的天職就是出去工作。男人太愛孩子，會影響事業的發展。」

他這段話影響了我好久，可是有一天看到一幅精采的圖片，我的觀念改了。

圖片上是冰天雪地的南極，成千上百隻企鵝直挺挺地朝著同樣的方向站著，好像千百塊「黑頭的墓碑」，立在風雪中。

我好奇地看說明，才發現那是正在孵蛋的帝王企鵝（Emperor Penguin）。牠們把蛋放在雙腳上，再用肚腩和厚厚的羽毛包覆著，使那些蛋在攝氏零下四十度的風雪中，仍能維持在零上三十七度。更令人驚訝的是，這些孵蛋的全是企鵝爸爸。

在雄企鵝孵蛋的五十多天，雌企鵝會去遠方找食物。「她」出走的兩個月當中，雄企鵝不吃任何東西，就這樣直挺挺地站著，因爲只要牠們離開幾分鐘，那蛋就會凍死。而當小企鵝被孵出，媽媽還沒回來時，企鵝爸爸則吐出自己的胃液，來哺育孩子。

我也在生物影片裡，看見一種俗名「耶穌鳥」的涉禽。照顧幼鳥的工作，完全由公鳥承擔。影片裡兩隻小鳥在水裡玩，公鳥則在一邊守望，突然看見鱷魚游過來，雄鳥立刻衝到小鳥身邊，張開翅膀、蹲下身，把小鳥一左、一右地夾在腋下，飛奔而去。

我還在美國「奧杜邦生物保護協會」出版的書裡，看到一種叫蹼腳鷸（Heliornithidate）的鳥，完全由雄鳥負責孵蛋、帶孩子。

書上解說：因爲這種鳥跟其他鳥不同，牠們的羽毛不是雄鳥華麗，而是雌鳥華麗。雄鳥體型也比較小，既適合在小小的巢裡孵蛋，又有保護色，所以夫妻的職責就互換了。

闔上書，我心想，連鳥類都知道夫妻看情況來調整角色，爲什麼在人類社會，許多人反而認爲只能由媽媽照顧小孩。要知道，男人不但會很愛孩子，而且當妻子不讓丈夫「動手」的時候，也是剝奪了孩子和父親相親相愛的機會。

◉

記得小學時候，有一篇課文：

「天這麼黑，風這麼大，爸爸捕魚去，為什麼還不回家。」

記得林煥彰有一首詩：

「我很辛苦，夜以繼日。肚子餓了，也不敢買東西吃。我打街上走過，看人家的孩子，圍著麵攤吃麵；看人家的孩子，跑進麵包店買麵包；看人家的孩子，擠在糖果店買糖果……我邊走邊想：回家以後，我該給我的孩子，一些些零用錢，偷偷地擺在他們的書包。」〈我邊走邊想〉

記得在四川，一位卡車司機對我說：

「我可以用偷的、用搶的，甚至不得已，用殺的，也要讓我的孩子過得好。」

記得「中國之怒吼」那部抗日影片中說：

「為了我們的子子孫孫，我們要戰鬥下去。」

更記得，我的一位大學男同學，年輕時豪氣干雲，滿懷理想，稍不順意，就大發雷霆。二十年後，再見到他，安靜了，即使上司藉故找他麻煩，他也低頭忍下來。

「沒什麼！沒什麼！掙碗飯吃嘛！多累、多氣，回家看孩子一笑，就都煙消雲散了。」

◉

我常從辦公室的窗口，看馬路上匆匆來往的男人。下班時，許多人像是用頭拉著身體向前走。我就想，他們的頭又是被誰拉著走呢？

是家？是孩子？

每次在電視新聞裡，看見戰場上滿地的屍體，絕大多數是男人的。我都想，他們當中，有多少，會是孩子的父親？他們的孩子，有多少，會眞正想到，父親是爲家而殺人，也爲家而被殺？

今天，我要對每個「沒爲父親畫手」的小朋友說：

不要以爲父親不常抱你，是不愛你。他的手可能正在弄黑黑的機油，他的手可能正在掏髒髒的下水道，他的手可能正在電腦的鍵盤上打得痠痛，他的手可能正在急著多掙些錢——給你。

他的手，甚至不知道疼惜他自己！

所以，不要等他伸出手擁抱你。你應該先伸出手擁抱他，說一聲：

「爸爸，我知道你的犧牲。爸爸，我愛你！」

【天地未了緣】

一堆石頭、
一堆雞糞、
一棵菜、
加上許多血汗，
武陵是這麼出來的！

擁抱大地的情懷

小時候最愛跟父親去萬華「打泥人」。一排又一排五彩的小泥人，整齊地站在架子上。父親端起氣槍，砰！小泥人被打到，掉在下面的網子裡。

於是，我的玩具堆裡，又多了個小泥人。

小泥人拿在手上有點黏，因爲上面塗了廣告顏料，不小心碰到水，就變成一片模糊。我常把小泥人翻過來，看它的脚底，那裡沒有顏料，露出褐黃的泥土，跟院子裡的泥巴差不多。

「多神妙啊！用泥巴能捏成這麼可愛的小人兒！」

又有一天，我看《兒童樂園》，上面畫個玩泥巴的老人。說那老頭兒作了一輩子的茶壺，都不滿意。有一天，他把作壺之後，用來洗手的一盆水倒掉。倒完水，發現下面沉澱了不少泥。心血來潮，就用那泥作了隻壺，燒出來，竟成爲前所未有的好茶壺——

聞名世界的「宜興壺」。

從那時，我就深深地愛上泥土。在我幼小的心靈裡，泥土是神奇的，它不但能長樹、種菜，還可以捏成人，做爲壺，或細細黏黏地沉在水底，成爲無價的東西。

我常偷偷把紗窗卸下來，架在兩塊石頭上，再把泥土倒在上面搓磨，讓細的泥沙落下去，粗的石礫留在上面，然後用這篩選過的泥土去種菜。

我也試著把泥土倒在臉盆裡，攪成泥水，再將水倒掉，看下面沉澱的泥，是不是能捏成一把「宜興壺」。

我也曾趁著挖馬路、埋水管的時候，跳進大土坑裡，掏下面的泥，用那種灰灰的黏土，揉成一個個「泥彈珠」。

有一陣子，我甚至迷信自己的「泥珠」，能夠打碎別人的玻璃彈珠。

雖然我的菜圃從沒長出什麼「大菜」，我的宜興壺從來沒有捏成，我的「泥珠」，在十幾個同學的注視下，被玻璃珠打成了兩半。我對泥土的迷信與幻想，卻至今不變。

當別人逛花市，賞花的時候，我常把手指伸到花盆裡，摸摸裡面的土。以便了解那花是用沙質、黏質、中性壤土，或只是軟軟的「泥炭蘚」。

當別人旅遊，都在欣賞風景的時候，我會注意路邊的泥土。碰到開山、鋪路，或農人掀土，最令我興奮，因爲我能看透泥土。

泥土是要被「看透」的，它們在表面的植物下，述說著許多故事。甚至可以講，每一種風景，都是泥土創造的。

◉

走在瑞士的山麓，看著「眞善美」電影中，一望無際的草坡。像是一片綠色的大地毯，從山頭，一摺又一摺地伸到山脚。當大家都心曠神怡，說瑞士人得天獨厚，擁有這麼美麗的風景時，我卻看到了另一種眞相。

在馬路的邊緣，和草坡接觸的地方，竟然露出一塊塊白色的石灰岩。只在山勢比較平緩的地方，有些土壤堆積。也就在那堆積處，能見到幾片針葉林。

長年雨雪的沖刷，把瑞士山頭的泥土都帶向了下面的平原，造成德國和法國的肥沃田園。留下貧瘠的瑞士，雖有湖光山色，卻只能種種牧草。

◉

也曾走在黃土高原上，看農人挖溝渠，一條細細的水溝延伸了幾百公尺。

「這中間不鋪水泥嗎?水不是沒流多遠，就會被溝吸乾了?」我問。

農民笑笑：「你倒盆水試試！黃土細得像麵粉，別以爲它吸水，有時候它都渴裂了，還是留不住水呀！」他拉著嗓子、搖擺著頭，用唱歌似的聲音說：「這就叫黃土高原！」

◉

我也曾到達極北的挪威。看那一望無際、高低起伏，雖然草木不生，卻又一團團鮮綠的凍原。

那綠，綠得像是裡面發光的寶石，冷艷冷艷的。千萬年來的冰河覆蓋下，只有苔蘚能夠生存。而且一代死、一代生，在上一代的上面，長出下一代。摸上去，都是那麼厚而柔軟，像是好多層厚厚的毛毯鋪在石塊上。

也看到一些農人在種牧草，耕耘機過處，泥土翻起來，果然都是黑褐色的「泥炭蘚」。誰能想像，在這草木不生的凍原，反而有著沃土？

可惜沃土因爲冷，只能種點牧草。即使在九月初，農人已經駕著長頸鹿似的收割機，把牧草收成一包一包，準備過那漫漫的嚴冬了。

◉

突然想起有一年去武陵農場，通過一處狹谷，見到開闊的武陵。一畦畦的田，正長著豐碩的大白菜。自動的噴水器，織起一片水網。我們的車子，從中間駛過，發現那田邊竟全是石礫。順著石礫往田裡望去，連蔬菜下面也是碎碎的石塊。

「你乍看，以爲這是武陵的桃源。錯了！這是人造的桃源、人造的沃土。」老榮民笑著：「一堆石頭、一堆雞糞、一棵菜，加上許多血汗。武陵是這麼出來的！」

◉

四十年了，走過許多國家，摸了許多泥土。即使沒有機會摸到，隔著車窗，我也用眼睛去觸摸大地。

多美的土地呀！多美的人哪！當他們兩者結合，更是多麼地美好！

那是小泥人、宜興壺、瑞士一望不盡的草坡、挪威翠綠照眼的牧場，黃土高原濃密密的高粱田，以及武陵山谷肥碩的菜田和果園……

那是個天人合一的世界。

【天地未了緣】

不知爲什麼
覺得這挪威狹灣邊的小城，
竟有些中國東北的感覺。
覺得狹灣裡的那些船，
似乎一揚帆，就能泊在中國……

所有的港都能停泊

和妻參加旅行團，到達挪威中部。

當天下午是自由活動，我們漫步出旅館，沿著狹灣溜達。挪威的人口很少，尤其是這山間的小城，據說當嚴冬來臨，一天只有六個小時的日照，整座城市剩下不到兩百人。

即使這八月底的夏天，山頭都積著白雪，且順著山谷延伸下來，成爲三角形的冰河。

走過一間速食店，一驚，裡面播出的音樂居然是「新鴛鴦蝴蝶夢」。探頭進去，迎上個東方面孔，以及櫃台上寫的一行小小的中國字：

「中華料理」

「這是中國餐館嗎?」我用國語問。

「如果你要吃中國菜，」老闆走出來笑道：「我們特別爲你做。」

整個禮拜吃生冷的挪威食物，這餐純正的中國菜，眞有救命的功用。那老闆卻一個勁兒地在旁陪不是：

「這裡什麼都買不到，別說中國作料了，連米，都得去奧斯陸帶。」

老闆大約四十多歲，矮矮的，廣東口音，說是早年以廚師的名義應聘來。他守在桌邊跟我們說話，聽到別的客人招呼，便跑開。隔一下，又站回我們桌前。

突然看見兩個十二、三歲的中國男孩，從裡面跑出來。

「你的孩子？」我問。

「對！可是不會說中國話，他們是挪威人。」

「挪威人？」

「是啊！他們自認是挪威人，天天吃家裡的中國菜，可是不講中國話。有一次跟我吵架，居然罵我思想落伍，太中國了。然後對我吼，要我回中國去。」

「回去過嗎？」

「中國？」他抬起頭，好像看看遠處，又搖搖頭：「太遠了！」

突然使我想起紐約的一個朋友，說過的話：

「我來美國，生了一堆美國人，而今在家裡，卻成了少數民族，只有我是中國人。動不動，他們就叫我回中國。」他嘆口氣：「可是，哪裡是我的國家呢？我在大陸待了十五年，到台灣住了十五年，來美國又住了十五年，活到快五十歲，卻發現沒有了故鄉。」

◉

也記得大學時代，未婚妻作家教。有一年暑假，教兩個美國回來的孩子中文。每次她去教課，都聽見家長跟孩子吵。孩子總是大聲吼著：

「我是美國生的，我是美國人！爲什麼要學中文？」

當時聽說，我心裡好反感，明明是黑頭髮、黑眼珠，父母又都是台灣長大，爲什麼那孩子偏不認自己是中國人？直到自己到了美國，看街上跑的孩子，紅頭髮、黃頭髮、黑頭髮，全自稱美國人，才懂得什麼叫「出生地主義」。

他在那兒出生，那裡便是他的土地、他的故鄉。

◉

旅行團裡有位加拿大的白髮老醫生。以前專作耳鼻喉科的特殊手術，退休之後則帶著老妻四處旅行。

有一天，我們交換名片，他沒帶，要張紙，埋頭寫了半天。

「你的地址眞長！」我說。

「我有四個家，老家在蒙特利，夏天在海邊的別墅，冬天則在佛羅里達的西棕櫚灘。在瑞士，我也有個房子。」老醫生笑笑：「你猜著打電話，不過八成找不到我們，因爲這兩年，我們哪個家都不常待了。」

我不解地看看他。

「起初，你會覺得家是個窩，於是到哪裡去，總以家爲中心。譬如，我們到歐洲，就都由瑞士的家開車出門。德國、法國、奧國、義大利，跑完了，還是趕回瑞士的家。」老醫生摟摟身邊的老妻：「可是，什麼是家呢？孩子大了，老婆在身邊，就是家！哪裡都是家，何必非要往那幾棟房子跑？那是房子！是死心眼！不是眞正的家！」

◉

記得初到美國時，在維吉尼亞一個藝術家的聚會中，見過一個人，一個我永遠不會忘記的人。

他皮膚黑黑的，頭禿了，只剩下後面半圈白髮，卻有著一臉的落腮鬍子，又黑又鬈地盤繞著他大半個臉。他的聲音是低沉的，偶爾幾聲大笑，又驚人地響亮。

大家管他叫「船長」，因爲據說他有條船，一條船齡已經三十多年的機動帆船。

三十年前，他二十歲，買了那艘船，從紐約一路往南開。開到維州，住了一個星期，開到卡羅萊納，住了幾個禮拜，再開到佛羅里達，住了幾個月。

然後，他到了加勒比海，在墨西哥的一個小港城，一住就是三年。接著膽子更大了，居然橫跨大西洋，到達歐洲。在西班牙、法國、義大利各住了幾年，最後去非洲，且到了東非，在坦尚尼亞和肯亞幾乎生了根。

其實他在哪裡都生了根。在墨西哥，他說西班牙話；在非洲，他講法語。他走進市場、走進貧民窟，很快學會當地最俚俗的腔調。他跟每個陌生人打招呼，讓人疑惑他是自己以前的老鄰居，只因爲鬍子遮住臉，而認不出來了。

在西班牙，他居然當選鎭民代表，還出去開會呢！沒有人懷疑他不是當地人，沒有人問他哪裡生的。

「我生在地球上，天天踩在地球上。」他狠狠的拍著地：「噢！噢！我的母親的土地！噢！噢！我的地球！我的故鄉！」

◉

「要不要再來點香酥鴨？」眼前的老闆笑出一臉摺子：「我請客，眞正中國味！」說完跑了進去，便聽見裡面刀鏟撞擊和炒菜的烈焰聲。

遠處的冰河似乎又向下移動了，據說再過兩個星期，這裡就會關閉，所有的旅行團都將停止，準備接受一個漫漫長夜的冬季。

不知爲什麼，我想起黑龍江，想起哈爾濱。覺得這挪威狹灣邊的小城，竟有些中國東北的感覺。覺得狹灣裡的那些船，似乎一揚帆，就能泊在中國。

一首不知名的詩，浮上眼前：

沒有家，就是以天下為家。

沒有港，就是所有的港都能停泊……

【今生未了緣】

然後，我們回到了更早的「原點」，
那個「陰」與「陽」交會的剎那。
生命的靈光乍現，
我們又重新孕育、重新長大
成爲另一個人生。

讓生命在記憶中呈現

一位罹患嚴重憂鬱症，而接受「電擊治療」的婦人，控告她的醫生，要醫生賠償她十年的生命。

「當我做完電擊，丈夫走過來，我嚇一跳，他怎麼突然老了那麼多；接著兒子也來了，我又嚇一跳，這個大男人是誰？他長得那麼像我兒子，可是我的兒子才六歲，他怎麼看來有十六歲。等我走到鏡子前面，我更嚇哭了，鏡子裡的我，爲什麼那麼老？我臉上怎麼突然添了那樣多的皺紋？」婦人接受電視訪問時哭訴：「我一下子失去了十年的記憶，過去十年間的事，一點也記不得，我的生命等於空白了十年，我失去了十年的生命。」

「問題是妳確實活過了那十年啊！」記者反問。

「可是我不記得，不記得對我來說，就等於沒有活過！」

◉

她令我想起去年在報上看到的一則新聞。

一位住在美國佛羅里達州的安妮・沙比羅太太，自從一九六三年十一月二十二號，甘迺迪總統遇刺的那天晚上中風昏迷，直到一九九三年十月十四號，居然奇蹟式地甦醒。

「甘迺迪被刺了！」她一醒過來就說。然後想到她最愛看的電視節目：「我要看『我愛露西』。」

「『我愛露西』二十一年前就播完了。」她的兒子說：「露西也早死了！」

她嚇一跳，看看自己的兒子，發現那個十八歲的大孩子，已經成爲四十八歲的中年人。

直到她的丈夫顫悠悠地趕來，她才確定自己不是在作夢，也才知道自己已經由昏睡時的五十二歲，跨過三十年，成爲八十二歲的老人。

「多麼難以置信，我只覺得自己睡了一覺。」她搖著頭說：「對我而言，今天還是一九六三年。」

跟前面這位老太太比起來，最近〈讀者文摘〉上約翰派克南（John Pekkanen）報導的一位年輕人提姆就幸運多了。

當提姆駕車失事，而造成腦幹淤血之後，神志不清了五個月。然後有一天，當他母親問他家裡的電話號碼時，他居然說出了二十年前的電話，那時他才五歲。

漸漸地，他想起六歲時的電話和朋友，又想到七歲時一起玩的小女生。

提姆開始玩他小時候的卡車、士兵和超人玩具，連說話的樣子都像個小孩兒。

他重新學寫自己的名字，學穿衣服，刷牙和吃飯。

他終於回到了中學的歲月，想要交女朋友，也再一次表現了「叛逆期」的火爆脾氣。

五年後，提姆回到大學。他的肉體、生命和生活的經驗，又重新聚在一起。

想起最近和名畫家馬白水老師一起吃飯時，馬師母說，現在馬老師變得不知道怎麼坐公車、搭地鐵了。

「我現在都得帶著他，好像帶個八十多歲的老孩子。」看來還很年輕的馬師母笑著說。馬老師也直點頭：「可不是嗎！讓她牽著走，這叫婦唱夫隨。」

「可是馬老師明明還很硬朗啊！說話還那麼幽默。」我說。

「是啊！他只是忘了六十五歲以後，來美國學到的東西。」馬師母說。

也想起不久前一個學生對我說的「家事」——

「我爸爸突然得了健忘症，也可以說是老年痴呆。我和弟弟坐在他面前，他居然不認識。還問我們姓什麼。然後大笑說『難得、難得，全是本家。』又轉身叫我媽：『妳怎麼不爲這兩位張先生介紹介紹？』」學生說：「可是，當我媽拿出我們小時候的照片，他就認得了，指著照片對我們說『來看看！這是我的兩個兒子，一個六歲，一個七歲。』」學生哭喪著臉：「只怕再過一陣子，他連我媽都不認識，只能認得我祖母的照片了。」

◉

我常想，我們的腦海，會不會就像個倉庫，愈早堆進去的東西，存得愈久。有一天，倉庫不堪用了，我們開始往外搬東西，愈是擺在靠外面的，愈先搬走。我們也就一步一步，退回童年。

我也常想，當我們的倉庫搬空了，是不是就回到最初的胎兒時期？我們由不再會認路、不再會穿衣吃飯，到不再認識親人。我們彷彿重新回到母親肚子裡，那個小小的宇宙之中，在羊水裡漂浮。

然後，我們回到了更早的「原點」，那個「陰」與「陽」，最初交會的刹那。生命的靈光乍現，我們又重新孕育、重新生長，成爲另一個人生。

◉

也想起卡繆在《異鄉人》那本書裡，透過主角說的「我牢記不忘的生命就是今生」。

還有那位接受電擊而喪失記憶的婦人的話——

「不記得對我來說，就等於沒有活過。」

我發現生命最充實的時刻，不僅是最有成就的時候，更是最有記憶的時候。

當我們往回想，可以想到四、五歲時的畫面；當我們往近處想，可以記起前兩週認識的朋友和今天早餐吃的東西。我們就擁有了整個的生命，不論實質，或是感覺。

所以，我最近一面仍然往前衝，一邊常常往回想，想我初戀的小女生和中學的老同學，也想想剛入社會的人與事。

想一遍，就是重新活一遍，就是實實在在地感受生命。免得年輕時不想，到老來又漸漸遺忘，最後莫名其妙地回到了原點。

多堪咀嚼的生命的滋味啊！在記憶中那麼眞實地呈現！

【今生未了緣】

多麼有幸啊！
中年以後，再年輕一回。
把幾十年來要講沒講的，
一古腦兒地傾吐出來。然後說：
不負此生！

再年輕一次

接到高中老同學的信：

「寄上近作，共八頁，有不妥之處，包括文題，請費神代為改正。川端康成曾說：『自大戰後，即落入日本自古以來的悲傷中。』我自重新執筆寫作以來，似乎也逐漸掉入台灣人久遠的悲傷中。為了要捕捉那逝去的影像，過度專神，常無法入眠……」

放下信，感慨良多。想到三十年前同窗時，他的豪情與才氣，想到去年重逢時的徹夜長談。他的辭鋒仍健，但是豪氣不再了，代之而生的，是滿腔的憤世嫉俗。

「你這些年，讀了這麼多書，有那麼多看不慣的事，何不寫出來？發洩發洩！別讓你的筆生鏽了！」我對他說。以後每次通電話，也都慫恿他動筆。

終於在年初，接到他的一篇短文，我馬上打電話去讚美，並催他繼續。果然，不久又收到兩篇。我再去電：「你的筆沒鏽，愈寫愈棒了！繼續寫！有一天出本書，保證轟動！」

文章愈來得多了，而且從「郵寄」改成「傳眞」，有時早上天剛亮接到一篇，晚上又收到兩篇。他眞像是久久未曾使用的水龍頭，一下子被打開。那幾十年積下的靈感和憤懣，竟噴射而出。

他的文章確實是充滿憤懣的，如同信中說的，逐漸掉入台灣人久遠的悲傷中。他從大學畢業、留學英國，又轉到美國，考取律師執照，並在紐約成爲中國城著名的律師。卻也在這二十年的漂泊之中，積壓了太多的感傷。恨國、恨家，也愛國、愛家，愛這塊他生長的土地。

他的文章是辛辣的，如同法庭上的詞鋒；情感是激烈的，彷彿重拾了他的少年情懷。我一篇篇讀著，像是展讀他火熱的靈魂。

多少才情高曠的作家、詩人，進入中年之後，創作就停頓了。他卻相反地，表現了如同少年人的勃發力。

令我想起周腓力，在封筆許久，美國打拼多年之後，重拾舊業，寫成的〈一周大事〉。發表時，眞是技驚四座，立刻捧回文學大獎，而後也是佳作連連。

我發覺我們這受盡升學壓力，小時候吃完晚飯，還要背著大書包，抱著《圖解算術》去補習的一代，因爲由小到大，都在與「升學」掙扎，竟在不知覺中，失去了火熱的少年情懷。

而那情懷，是每個人都該有的啊！

就像是埋藏在深土的種子，它們也要萌發。一朝見到陽光，它們會生長得比「淺土」的種子，更高、更大，也更快！

問題是有幾人，在被「考」得焦頭爛額，走出學校，在社會打拚二十年，再養一窩兒女之後，能夠重溫往日情懷，甚至把那「久已封坑」的「靈感之礦」，重新開啓呢？

抑或，就這樣，隨著中年，消沉了志氣，銷磨了銳利，逐漸萎落，成爲大地的一部分。

也想起以前認識的一對美國夫婦，當最小的孩子進入高中，有一天，太太突然說：「孩子終於長大了！我太早結婚，沒有享受應有的青春，就讓我抓住青春的尾巴吧！」

然後，她就離開丈夫，離開孩子，離開家，去了一個大家都不知道的遠方。

直到去年，她回來了，一臉的皺紋，也一臉的歡喜，她說：

「我回來了！不負此生！我可以安安靜靜，等待老年的來臨了。」

於是，老同學信中所說「為了捕捉那逝去的影像，過度專神，常無法入眠。」不正是重拾少年情懷的經驗嗎？他的難眠，是因爲滿腔熱火，再被點燃。

多麼有幸啊！中年以後，再年輕一回。把幾十年來要講沒講的，一古腦兒地傾吐出來。然後說：

「不負此生！」

我提起筆，寫了這四個字給他。

【今生未了緣】

男生常抱怨花幾年的時間，
做牛做馬追女生。
他怎不想想，
女生結婚之後，
要爲他做牛做馬幾十年？

當我們年輕的時候

劉墉

有一位女學生，長得挺漂亮，又能說善道，卻年過三十五歲，還沒個主。

「我才不要什麼主呢！我自己是自己的主。」學生也嘴硬：「寧願做一輩子的公主。」

「她就是做公主做壞了，一直還在作她的少女夢。」別的學生偷偷說：「譬如最近，有個從美國回來的學人，我們給她做媒，那人一見面就喜歡她，偷偷講『這女生跟我媽年輕時的味道很像。』可是你知道嗎，接下來出去吃完一頓飯，就吹了。」

「爲什麼？」

「因爲她帶那男人去一家最貴的法國餐廳，再點最貴的東西，那男人差點出不來了。隔天就打電話給我，說這種女人他養不起。」

◉

「養不起！」

記得我大學時代的一個同學，在跟他女朋友吹的時候，也說過同樣的話。

那時候大家都窮，我這位同學因爲把師大發的「公費」都拿去買油畫材料，所以尤其窮。跟女朋友約會，不敢往電影院、「純喫茶」跑，每次都朝植物園裡鑽。大熱天，蚊子多，他甚至帶著蚊香。想必花前月下、卿卿我我，沒想到才約會了幾次，就拜拜了。

「這女生每次坐不久，就要往門口溜，而且每次都去廣州街那個門，門外有賣甘蔗汁的，我最怕去，她偏要去，而且一去就喊渴，害得我花錢。這種女生，生性浪費，我將來養不起！」

天哪！只爲小小幾杯甘蔗汁，他就打了退堂鼓。

◉

也使我想起自己談戀愛的時候。

那時節，我還住在違章建築區，父親過世，留下的一點積蓄，吃得差不多了。我交了個女朋友，父親在華航做事，常穿進口貨，總說將來要去做空姐或出國。

她一提，我就頭痛，就想打退堂鼓。出國？我作夢都不敢想。當空姐？不是一下子就飛了嗎？

漸漸地，她不想飛了，也不再提了。她的心被我拉回地面，跟著我，住進違章建築。

只是新婚，有一天晚上，望著天花板，她突然說：「我希望將來能有錢。」

她那幾個字，和灰蒙蒙的天花板，一起烙在我的心上。

好沉重的一句話啊！讓我扛著，每次想起，就覺得肩頭一沉。

二十多年過去了！繞了半個地球，拚出了些成績，也有了點積蓄。可是，她身上穿的，竟還有大學時代的襯衫，和新婚時做的長裙。

「有錢，是要不缺，讓孩子能過得好，就成了！」她說。

◉

突然想起小時候聽大人聊天，偷偷說某同事的太太，原來是上海某大舞廳的舞小姐。

那時候，我才七、八歲，卻不知爲什麼，記得這麼清楚。大概因爲那舞小姐的兒子常跟我玩，我也常去那舞小姐家吧。

自聽了那「消息」，我就用好奇怪的眼神，看他們一家。只是，舞小姐不都該濃妝艷抹、穿高衩旗袍嗎？爲什麼「她」根本沒化妝，又穿得很普通呢？

那家的叔叔總按時下班，吃舞小姐做出的可口的菜。他家的孩子，倒是個個穿得好漂亮，據說全是舞小姐自己縫的。

那時候，出國是了不得的大事，也是難事。記得有一次舞小姐去了香港，回來之後，幾個熟朋友都有禮物，大家問她自己買了什麼。

「是想買點漂亮衣服。」她手一攤：「可是，看來看去，都嫌貴，又沒什麼機會穿，想想從前，穿也穿過了，玩也玩過了。還是買給丈夫跟孩子吧！」說著展示了好多爲孩子買的漂亮衣服。

相信我很小的時候，就有點鬼靈精，否則那樣早的事，爲什麼能記到今天。而且在過去的四十年，常想起這一幕。覺得「那女主人」好美，像是清澈無波的湖水，映著四山的風景。

有位大學同班的女生說得好：

「男生常抱怨追女生辛苦，好像做牛做馬。他怎不想想，他大不了做牛做馬幾年。我們結婚之後，卻要爲他做牛做馬幾十年！」

看了許多人世滄桑，發現受婚姻改變最大的還是女人。結婚之後，男人仍然那麼生龍活虎地在外面跑。只有女人，從結婚那一天，飛騰的心就落到地面；從懷孕的第一天，許多綺麗的少女夢，就被壓在了心底。

直到有一天，孩子大了。看著女兒打扮，那斑白了頭髮的婦人，突然感慨地說：

「想當年，妳老娘也跟妳一樣苗條漂亮！」

【今生未了緣】

由年少輕狂時的「只要我好」，
到戀愛激情時的「只要你好」，
到拖家帶眷的「只要他們好」。
到有一天，
把自己完全地遺忘。

美麗的結束

岳父大人自五年前去過狄斯耐樂園，似乎就跟那裡結了仇，一提到就火大：

「沒意思！熱！又全是騙小孩的玩意兒！」

於是，當我去年底提到今年春天再去狄斯耐，老人家想都沒想，就一揮手：

「你們去！我看家！」

我沒吭氣，口頭上雖不再強邀，私底上卻仍然在安排。又找了個不下雪的日子，帶老岳父去電器行，買了架最新式的攝錄影機。

「以前都是我用機器拍，鏡頭裡只有你們，沒有我。」我把機器交給老人家：「現在這一架，後面有個三吋螢幕，您眼睛雖然不好，也看得清楚。以後機器給您，由您掌鏡，裡頭就有我了。」

老人先還推辭，聽我這麼說，才高興地收下。

從那天開始，便見他提進提出，四處找畫面。有時我跟女兒玩，突然發現角落裡有個人影，原來老岳父正在偷偷拍攝呢。

更妙的是，提到狄斯耐，也沒仇了，不但沒了仇，眼睛裡且閃著奇異的光彩。嘴上雖還客氣說太浪費，私底下卻聽他跟小孫女說：

「妳去狄斯耐，公公給妳攝影。」

果然，這七十四歲的老人家，眞返老還童地成了攝影師。總見他背著包，弓著背往前衝，然後轉身舉起機器，拍我們一家的畫面——尤其是他的小孫女。

◉

狄斯耐的四天，一下就過去了。

臨走，在旅館大廳，我問小女兒：

「狄斯耐樂園什麼地方最好玩啊？」

「米老鼠家那邊的溜滑梯，和電影城裡可以爬上去玩的大蔬菜最好玩。」小丫頭說。

一家人都愣了，沒想到那麼多坐車參觀的「鬼屋」、「小飛俠」和「未來世界」，在小丫頭心中，竟然都比不上她自己爬上爬下的滑梯和大蔬菜。

「爸爸，你覺得哪裡最好玩呢？」小丫頭回問我。

想了想，我說：「我覺得能帶著妳，又能帶著公公、婆婆，還有妳媽媽一起玩，最有意思。」

「公公說！公公說！」小丫頭又轉身喊：「公公覺得哪裡最好玩？」

「公公沒有玩，公公給妳攝影，看妳在鏡頭裡玩，最好玩！」

「爸爸眞不簡單！」我對老岳父說：「這麼大年歲，居然都跑在前面。等我到您這個年紀，絕對比不上您！」

沒想到小女兒又追著問：

「等爸爸像公公那麼老，公公還要不要來玩？」

老人家一笑：「那時候，公公早死了喲。」

四周的空氣似乎僵住了，幸虧接我們去機場的巴士開過來。

◉

車子很大，除了我們一家，還有另一對夫婦——一位灰白頭髮的老太太，和個滿臉大鬍子的老先生。

老太太是讓老頭子半扶半推，才上車的。一路上卻聽老太太一個勁地發號施令：「把那兩個玩具放進中袋子裡，再把中袋子放進大袋子裡，三件併一件，多方便！聽話！聽話！」

我轉身看他們，老太太朝我一笑，指著大鬍子爲我們介紹：

「這是麥克，我的BABY。」

我嚇一跳，原來那大鬍子竟是她的兒子。那麼老的兒子，還要叫作BABY？

「你們玩了幾天？都玩些什麼啊？」我用問話掩飾自己的驚訝。

「我們不玩，只用了三天，走走！」老太太一顫一顫地點著頭：「我老頭子早死了，兒子也好幾個孩子了。但這一次，我們誰都不帶，就母子兩個人。走走！走走！想想以前，我和先生牽著他來狄斯耐的時候。」嘆了口氣，老太太突然又笑了，笑得好開心：「唉！人生如夢，我們重溫舊夢。」

◉

小時候，我們心裡最重要的，就是「我」。我要「自己」玩，才有意思。

然後，我們長大了。有了朋友、有了另一半，要結伴玩，才有趣。

然後，有了孩子。年輕的父母帶著孩子一起瘋、一起玩，多過癮！

然後，我們步入了中年，如果能牽個小的，帶個老的，一家三代，一起出遊，雖然拖拖拉拉，誰也走不快，但這種感覺，這種「成就感」，就是滿足。

再然後呢？

我們老了，玩不動了，只能靜靜地看、慢慢地走，看年輕人奔跑跳躍，小孫子、小孫女又跳又叫，我們好像進入夢境，模模糊糊的，只覺得好溫馨、好泰然。

緩慢地、緩慢地，緩慢的動作、緩慢的笑。然後，像逐漸停下的電影機般，是靜止的畫面。看笑容靜止在時空中，讓記憶裡的一切美好凝固。

生命眞是奇妙——

由年少輕狂時的「只要我好」，到戀愛激情時的「只要你好」，到拖家帶眷的「只要他們好」。到有一天，把自己完全地遺忘。

那是多麼美好的結束。

【生生世世未了緣】

每次看見車禍，
滿地鮮血，一縷青煙，
我就想：
當他今天離開家，和家人說再見的時候，
豈知那再見是如此地困難……

寫一個緣的故事

遇到個師大的老同學。

「教了二十多年書，有什麼感想？」我問她。

「有，也沒有。我教國一和國三，年年畢業班的學生對著我哭，我也陪他們哭，然後，一轉身，又迎接新生入學，他們對著我笑，我也陪他們笑。在同一個學校裡，甚至一棟大樓裡，哭哭笑笑了二十多年，哭老了，也笑老了自己。」她停一下，嘆口氣：「可是，而今他們在哪裡？」

可不是嗎？想起我小學畢業的時候，三十四年前的往事如在眼前。「青青校樹，萋萋庭草，欣霑化雨如膏……」唱著唱著，一班同學都哭了。

然後大家紅著眼睛送老師禮物，摟著彼此依依不捨地道別。每一幕今天都還那麼清晰，只是，他們都在哪裡？

◉

女兒也幼稚園畢業了，其實她的畢業只是做樣子，幼稚園跟小學在一塊兒，連教室都連著，升入小學只不過換間教室，換個導師而已。

「不！」小女兒哭著喊：「也換了同學。」

「他們分班了。」妻解釋：「老師把原來要好的小朋友都拆散，分到不同班。有些小鬼氣得不要上學了。」

「爲什麼呢？」

「老師說，一、兩個小孩子總膩在一起，會影響他們交新朋友，也會影響他們未來的人際關係。」

多麼奇怪的論調啊。不過再想想，西方社會根本就有這種「追新」的精神。一個職員如果業餘進修，往往公司付學費；進修拿到文憑，可以要求公司加薪；加薪不滿意，可以跳槽。

當我初到美國，不解地問公司主管：

「好不容易培植出來的人才，跳槽走了，不是太冤了嗎？」

那主管一笑：「你怎不想想，有人跳走，也有人跳來呀。跳來的那人也是前面公司栽培的。他把另一個公司的經驗帶給我，我的人也把我們的經驗帶給別家公司。這樣交流，才有進步。」

◉

記得以前教過的班上，有兩個女學生，好得不得了。總見她們一塊兒進教室，一塊兒去餐廳，一塊兒坐在圖書館。

有一天，發現她們分開了，連在教室裡，都好像故意坐得離很遠，我心想，兩個人必定是吵架了，好奇，但不好意思問。

隔了多年，在街上遇到其中一個，聊起來，談到「另一位」。

「哦！」她笑笑：「我們沒吵架，是約好，故意分開的。」

「爲什麼？」

「爲了彼此好。兩個人形影不離，男生還以爲我們是同性戀，約一個，只怕另一個也會跟著，結果都交不到男朋友，這怎麼得了！」

於是她們分開走，分別談了戀愛，也都結了婚。

「妳們還聯絡嗎？」

她居然搖搖頭：「都忙，找不到了。」

●

我最近倒是找到個以前的好朋友。

我們曾經一起上高中，一起通學，一起感染肺病，也一起到國外。

他去了中南美，潦倒過、風光過，有一回過紐約，談他的艱苦，讓我掉了眼淚。

又隔些時，接到他的信，說「活著，眞好。」打電話過去，已換號碼，之後我搬了家，居然從此斷了音訊。

最近一位台北的友人，終於爲我找到他在邁阿密的電話，撥通，是他的聲音。

好高興，又好生氣，劈頭罵過去：「好小子，爲什麼十年沒你消息？」

「能呼吸，眞好！」他的語氣變得不像以前那麼熱烈，卻有了一分特殊的祥和：

「我們能又聯絡上，眞是個緣。」

「緣早有了。」

「緣是斷斷續續、時時刻刻的。」

於是，我們又常有了夜間的長談，彷彿回到二十多年前，他坐在我的畫桌前。我們談到生死，談到他新婚的妻子和信仰的先知，也談到學生時代的許多朋友。

「只是，他們都在哪裡？」我一笑。

「相信，大家還會有緣。」他也一笑。

◉

接到個老學生的信，談到感情，滿紙牢騷。

「人生就像拼圖，拿著自己這一塊，到處找失散的那些塊，有時候以爲拼成了，才發現還是缺一角。於是爲那一角，又出去找，只怕今生今世都找不到。」

回信給她：

「早早找到，說不定就沒意思了，人生本來就是個永遠拼不成的圖，讓我們不斷尋找。不斷說對，不斷說錯；不斷哭，不斷笑。也不斷有緣，不斷失去那個緣分。」

可不是嗎！從小到大，我們唱了多少次驪歌、掉過多少次眼淚？又迎過多少新？且把新人變舊人，舊人變別離。

每次看見車禍，滿地鮮血，一縷青煙，我就想，當他今天離開家和家人說再見的時候，豈知那再見是如此地困難。

於是，每次我們回到家，豈不就該感恩歡歎，那是又一次珍貴的相聚。

「過來昨日疑前世，睡起今朝覺再生。」古人這句話說得真是太好了。從大處看，一生一死是一生。從小處看，「昨天」何嘗不是「前世」，「今日」何嘗不是「今生」？

人生就是用聚散的因緣堆砌而成。這樣來了，這樣去了，如同花開花落，花總不斷。沒有人問，新花是不是舊花。

人生也是用愛的因緣堆砌而成。我們幼稚園最愛的老師在哪裡？他還在不在人世？我們小學最好的朋友在哪裡？我們還記不記得彼此的名字？我們初戀的情人在哪裡？爲什麼早已失去了感覺？我們的家人在哪裡？我今晚能不能與他相聚？

何必問今生與來生，僅僅在今生就有多少前世與來生？就有多少定了的約，等我們履行；多少斷了的緣，等我們重續？就有多少空白的心版，等我們用明天，去寫一個緣的故事。

多美啊！生生世世未了緣。

劉墉的著作（暨一九九〇年後之活動）

文藝理論：

〈中國繪畫的符號〉（《幼獅文藝》・1972）
〈詩朗誦團體的建立與演出〉（聯合報1981）
《花卉寫生畫法（中英文版）》（紐約水雲齋・1983）
《山水寫生畫法（中英文版）》（紐約水雲齋・1984）
《翎毛花卉寫生畫法（中英文版）》（紐約水雲齋・1985）
《唐詩句典（暨分析）》（水雲齋・1986）
《白雲堂畫論畫法（中英文版）》（紐約台北水雲齋・1987）（太平洋文化基金會獎助）
《林玉山畫論畫法（中英文版）》（紐約台北水雲齋・1988）（太平洋文化基金會獎助）
〈中國繪畫的省思（專欄系列）〉（中國時報・1990）
〈藝林瑰寶（專欄系列）〉（《財富人生雜誌》・1990）
〈內在的眞實與感動〉（聯合報・1991）
《中國文明的精神（三十集二十七萬字）》（廣電基金・1992）
《屬於這個大時代的麗水精舍》（太平洋文化基金專刊・1995）

畫冊及錄影：

〈歐洲藝術巡禮〉（中國電視公司播出・1977）
《芍藥畫譜》（水雲齋・1980）

《The Real Tranquility英文版錄影帶》（紐約聖若望大學・1981）

《春之頌（印刷冊頁）》（紐約水雲齋・1982）

《眞正的寧靜（印刷冊頁）》（紐約水雲齋・1982）

《The Manner of Chinese Flower Painting（英文版錄影帶）》（紐約海外電視25台播出・1987）

《劉墉畫集（中英文版）》（紐約台北水雲齋・1989）

《劉墉畫卡（全套二十四張）》（水雲齋・1993・1994・1995）

有聲書：

《從跌倒的地方站起來飛揚（劉墉・劉軒演講專輯）》（台南德蘭啓智中心・只供義賣・1994）

《這個叛逆的年代（劉墉演講專輯）》（馬來西亞華僑董事會聯合總會・只供義賣・1995）

《在生命中追尋的愛（劉墉演講專輯）》（伊甸社會福利基金・只供義賣・1996）

譯作：

《死後的世界（瑞蒙模第原著）》（水雲齋・1979）

《顫抖的大地（劉軒原著）》（水雲齋・1992）

詩、散文、小說：

《螢窗小語（第一集）》（水雲齋・1973）

《螢窗小語（第二集）》（水雲齋・1974）（中山學術文化基金獎助）

《螢窗小語（第三集）》（水雲齋・1975）（中山學術文化基金獎助）

《螢窗小語（第四集）》（水雲齋・1976）

《螢窗隨筆（詩畫散文集）》（水雲齋・1977）

《螢窗小語（第五集）》（水雲齋・1978）

《螢窗小語（第六集）》（水雲齋・1979）

《螢窗小語（第七集）》（水雲齋・1982）

《眞正的寧靜（詩畫散文小說集）》（水雲齋・1982）

《小生大蓋（幽默文集）》（皇冠・1984）

《點一盞心燈》（水雲齋・1986）

《薑花》（水雲齋・1986）

《超越自己》（水雲齋・1989）

《四情》（水雲齋・1989）

《創造自己》（水雲齋・1990）

《紐約客談》（水雲齋・1990）

《肯定自己》（水雲齋・1991）

《愛就注定了一生的漂泊》（水雲齋・1991）

《人生的眞相》（水雲齋・1992）

《生死愛恨一念間》（水雲齋・1992）

《冷眼看人生》（水雲齋・1993）

《屬於那個叛逆的年代（改寫・劉軒原著）》（水雲齋・1993）

《離合悲歡總是緣》（水雲齋・1993）

《衝破人生的冰河》（水雲齋・1994）

《作個飛翔的美夢（詩畫散文小說集）》（水雲齋・1994）

《把握我們有限的今生》（水雲齋・1994）

《我不是教你詐》（水雲齋・1995）

《迎向開闊的人生》（水雲齋・1995）

《在生命中追尋的愛》（水雲齋・1995）

《生生世世未了緣》（水雲齋・1996）

活動（不包括在台之文字出版）

一九九〇　再赴大陸黃山寫生。移居紐約長島。

應廣電基金邀請返台，爲製作「中國文明的精神專輯」進行評估。

應有熊氏藝術中心邀請舉行「黃山歸來」個展。

一九九一　向聖若望大學請假三年。

應財團法人廣播電視發展基金邀請返台，主持「中國文明的精神專輯」脚本編撰工作。

成立水雲齋文化事業有限公司。

攜子劉軒赴中國大陸考察研究。

一九九二　畫作入藏紐約中華文化中心。

三赴大陸考察研究

「中國文明的精神」編撰工作完成。

一九九三　應邀參加中正紀念堂中正畫廊開幕「當代名家國畫油畫大展」。

攜子劉軒參加「永不遺忘的心情」活動，爲台南瑞復益智中心募款。

當選中國美術協會理事。

簡體字版《螢窗小語》一二三集、《點一盞心燈》、《四情》、《愛就注定了一生的漂泊》由北京友誼出版社出版。

赴英法瑞德比寫生。

一九九四 辭聖若望大學教職。

義賣與劉軒合作完成之《從跌倒的地方站起來飛揚》有聲書，爲台南德蘭啓智中心募款。

與劉軒展開「從無聲的愛到有聲的愛」募款活動。

獲台南市長施治明頒「台南市鑰」。

赴挪威寫生。

成立水雲齋青少年免費諮商中心。

簡體字版《超越自己》、《創造自己》、《肯定自己》及《螢窗小語》四、五、六、七集由廣西漓江出版社出版。

一九九五 應馬來西亞華校董事聯合會總會邀請，前往吉隆坡、新山、雙溪大年爲僑社義講。

應邀（免審查）參加全國美展。

簡體字版《人生的眞相》、《冷眼看人生》、《衝破人生的冰河》由中國工人出版社出版。

應統一企業邀請舉行全省巡迴演講。

將《在生命中追尋的愛》預付版稅及演講收入七十二萬元及畫卡二十萬張捐贈伊甸社會福利基金，並舉行爲殘障人義賣募款活動。

赴義大利寫生。

義賣有聲書《這個叛逆的年代》（馬來西亞董總出版。收入作爲董總推展僑教之用。）

一九九六　義賣有聲書《在生命中追尋的愛》（伊甸社會福利基金出版。收入作爲伊甸照顧殘障人之用。）授權漢語大詞典出版社出版簡體字版《我不是教你詐》、《迎向開闊的人生》《把握我們有限的今生》、《在生命中追尋的愛》。

國立中央圖書館出版品預行編目資料

生生世世未了緣／劉墉著. --初版. --臺北市
：水雲齋文化出版：吳氏總經銷，民84
面；　公分
ISBN 957-9279-30-6（平裝）

855　　84010886

生生世世未了緣

作者：劉　墉
發行人：劉　墉
出版者：水雲齋文化事業有限公司
地址：臺北市忠孝東路四段三一一號五樓之五
郵政劃撥：一五〇一三五一五號
電話：(〇二)七四一五二六六　七七一七四七二
傳眞：(〇二)七四一五二六六
登記證：局版台業字第伍零零貳號
校對：林文星　畢薇薇　馮宜靜
總經銷：吳氏圖書有限公司
地址：臺北市和平西路一段一五〇號三樓
電話：(〇二)三〇三四一五〇
電腦排版：上統電腦排版事業有限公司
印刷：沈氏藝術印刷公司
地址：台北縣土城市中央路一段三六五巷七號
定價：平裝一七〇元
初版：中華民國八十五年一月

ISBN:957-9279-30-6

生生世世未了緣生生世世未了緣生生世世未了緣生生世世未

RANCHO CORDOVA